Y0-EHF-582

FRENCH ONE-ACT PLAYS OF TODAY

SÉE — ROMAINS — D'HERVILLIEZ — VILDRAC

FRENCH ONE-ACT PLAYS OF TODAY

EDITED WITH INTRODUCTIONS, NOTES, EXERCISES AND VOCABULARY

BY

FREDERICK KING TURGEON

Amherst College

NEW YORK

HENRY HOLT AND COMPANY

October, 1958

38562-0119

PRINTED IN THE
UNITED STATES OF AMERICA

PREFACE

This little book presents to American students reading material in French which, it is hoped, will appeal to them by its contemporaneity and maturity, and which will give them an insight not merely into the language as it is spoken today, but also into the spirit of present day France. The four dramatists represented are among the best writing for the French stage. Jules Romains is the most famous on this side of the Atlantic because of the numerous works of his that have been translated into English; but the others are all deserving of recognition for qualities that are specifically their own, and for their influence on current drama. The plays in this collection are among their masterpieces, even if they are one-act plays, for the genre has always been very highly considered in France. The study of the language of these plays should be of great value to those wishing to acquire an understanding of contemporary French. Each play differs from the others in style and vocabulary, but the dialogue of each of them bears the stamp of the twentieth century.

The plays in this collection are reproduced in every case with the permission of the French publisher, and the editor wishes to thank the following for granting this permission: for *Un Ami de jeunesse*, La Librairie Stock; for *La Scintillante* and *Le Pèlerin*, La Librairie Gallimard (Editions de la N.R.F.); and for *A Louer meublé*, Andrieu Frères.

The editor wishes also to express his sincere gratitude to Professor Charles H. Livingston of Bowdoin College for his assistance in rendering several difficult expressions, and to Charlotte Turgeon who did much of the work in connection with the preparation of the manuscript.

F. K. T.

AMHERST
January, 1939

CONTENTS

UN AMI DE JEUNESSE

PIÈCE EN UN ACTE

par

EDMOND SÉE

A

Stany Oppenheim

son ami d'âge mûr

— E. S.

EDMOND SÉE

Edmond Sée was born in Bayonne in 1875, and received the degree of *docteur en droit* in 1902. Long before he had earned this law degree, however, he had made himself well known in the field of drama. Two one-act plays, the first (*La brebis*) written when he was only twenty-one, and the second (*Les miettes*) three years later, had delighted audiences and caused critics to hail the astonishing talent of this young man. Since that time he has fulfilled his early promises with a succession of plays of great merit. His ability to portray with sober and delicate touches and with absolute realism the profoundest emotions of his contemporaries has earned for him the name of the successor of Porto-Riche. His little one-act play, *Un ami de jeunesse*, which is offered here, is typical of his method, and is certainly one of his masterpieces. It was written in 1921 for de Féraudy, the great actor of the Comédie Française, who achieved one of his greatest successes in the rôle of Lambruche. The intrigue of the play is very slight, as is often the case in the modern one-act play; the methods used are unpretentious; but from the sureness of the author's touch in rendering everyday reality there arises a profound emotion. The play may seem gay and amusing at first because of its satiric element, but at bottom it is sad and ironic. Among the other plays of Edmond Sée, which deal largely with the passion of love, one may mention *L'Irrégulière* (1915), *Saison d'amour* (1919), *Le bel amour* (1925), *Le métier d'amant* (1928), and *Charité* (1932). He is a famous critic as well as a dramatist, and his criticisms for newspapers and magazines have been collected and published in several volumes. He has also published a few novels and short stories.

PERSONNAGES

LAMBRUCHE
LE BLUMEL
DAUTIER, *son secrétaire*
UN DOMESTIQUE
MADAME LE BLUMEL

UN AMI DE JEUNESSE

Le cabinet de travail de Le Blumel, sous-secrétaire d'État au ministère de..., dans son appartement privé. Intérieur luxueux. Des tapisseries anciennes. Une bibliothèque. Une grande table de travail au centre. A gauche, sur un chevalet, un grand tableau, portrait de madame Le Blumel.

Au lever du rideau, Le Blumel travaille, assis devant sa table. On frappe à la porte.

—◇—

SCÈNE PREMIÈRE

LE BLUMEL, *puis* DAUTIER, *son secrétaire.*

LE BLUMEL. Entrez! (*Dautier paraît.*) Ah! c'est vous, Dautier?

DAUTIER. Bonjour, monsieur le ministre.*

LE BLUMEL. Bonjour, Dautier. Eh bien, vous venez
5 de là-bas, du ministère?

DAUTIER. J'en viens...

LE BLUMEL. Vous avez vu mon chef de cabinet?

DAUTIER. J'ai vu M. Rosenthal.

LE BLUMEL. Et vous lui avez dit?

10 DAUTIER. Parfaitement. Qu'ayant été pris, vendredi soir, d'une violente crise de rhumatisme, vous n'aviez pu vous rendre, samedi, au ministère, ni, à plus forte raison, à la Chambre; qu'hier, lundi, vous espériez sortir, mais que le médecin s'y était opposé;
15 que vous ne pourriez vraisemblablement pas bouger

3. The usual form of address to the *sous-secrétaire.*

avant la fin de la semaine et que, par conséquent, M. Rosenthal devait se charger des affaires courantes et donner audience à votre place . . .

LE BLUMEL. Parfait. Il n'a rien dit ?

DAUTIER. Il m'a prié de vous transmettre ses vœux 5 de prompt rétablissement.

LE BLUMEL. Bien gentil !

DAUTIER. D'ailleurs, je vois avec plaisir que, aujourd'hui, vous allez mieux.

LE BLUMEL. Oui, mon cher Dautier, beaucoup 10 mieux . . . Il n'y a guère que ma jambe . . . là ! . . . Mais j'espère qu'avec un ou deux cachets d'aspirine . . . Vous n'avez vu personne autre ?

DAUTIER. Personne.

LE BLUMEL. Le ministre ? 15

DAUTIER. Il n'était pas encore arrivé . . .

LE BLUMEL. Oui; ça, ça ne nous surprend pas.

DAUTIER, *souriant*. Non.

LE BLUMEL. Il était quelle heure, quand vous avez quitté les bureaux ? 20

DAUTIER. Onze heures.

LE BLUMEL. Onze heures ! Admirable ! Enfin, par bonheur, nous sommes là, nous autres, humbles et dévoués sous-secrétaires d'État. Parce qu'on a beau médire de nous à chaque occasion, et même contester 25 souvent notre utilité . . . (*S'interrompant.*) Vous avez le courrier ?

DAUTIER. Voici . . .

LE BLUMEL, *regardant les adresses écrites sur les enveloppes*. Voyons . . . (*Il lit.*) « Monsieur le sous- 30 secrétaire d'État du ministère de . . . » (*Il en prend une autre.*) « Monsieur le sous-secrétaire d'État . . . »

(*Même jeu.*) Celle-là n'est pas pour moi. (*Dautier fait un geste d'étonnement.*) Voyez . . . « Ministre de . . . »

(*Il lui tend la lettre.*)

DAUTIER. Pardon . . . (*Il regarde l'enveloppe.*) Mon-
5 sieur Le Blumel, ministre de . . .

(*Il la lui rend.*)

LE BLUMEL. Ah ! oui, il y a bien mon nom . . . C'était une erreur . . . Quelqu'un qui ne savait pas . . .

DAUTIER, *finement.* Ou qui savait . . .

10 LE BLUMEL, *avec une nuance de satisfaction.* Dautier, vous êtes un flatteur. Ouvrez, voulez-vous. (*Il désigne la dernière lettre.*) Celle-là, celle-là d'abord.

DAUTIER, *lisant.* « Monsieur le ministre, lors de notre dernière entrevue, vous avez bien voulu me
15 laisser espérer que vous consentiriez à intervenir en vue de l'obtention d'un bureau de tabac * » . . . (*Il s'interrompt.*) Ah ! oui, c'est cette vieille folle, la mère d'un gendarme qui, soi-disant, est mort victime de son devoir pendant la guerre; mais, en réalité, à la suite d'une
20 congestion causée par un excès de boisson, et à quatre-vingts kilomètres du front . . . Vous m'avez dit de classer l'affaire.

LE BLUMEL. Ah ! oui, oui . . .

DAUTIER. Le sujet en question n'était pas très digne
25 d'intérêt . . .

LE BLUMEL. Non, non . . . lui, peut-être, mais elle, sa mère, sa vieille maman . . . Montrez. (*Il lit à son tour.*) « Si j'osais, monsieur le ministre, attirer l'attention bienveillante de monsieur le ministre . . . » Oui . . .

16. *to help me obtain a tobacco shop.* (The manufacture and sale of tobacco is a government monopoly in France; hence the granting of a license for a retail store is a minor form of political patronage.)

(*Il continue à lire, à voix basse, puis reprend.*) Pauvre femme !... Elle s'exprime bien ... d'une façon touchante !... Laissez-moi le papier, j'examinerai... je répondrai moi-même, ou je saisirai * personnellement le ministre, l'autre ... je saisirai, c'est une façon de parler, 5
parce que, quand un ministre est, autant dire, insaisissable ... *

DAUTIER. C'est le mot !

LE BLUMEL. C'est même un mot ...

DAUTIER. Et charmant. 10

LE BLUMEL. Oh ! charmant... Enfin, on a beau être * sous-secrétaire, on se souvient parfois qu'on a des lettres ... qu'on a griffonné, dans le temps, comme tout le monde !... Voyons la suite ... (*Il prend diverses lettres.*) « Monsieur le sous-secrétaire ... J'ai l'honneur 15
de rappeler à la bienveillante attention ... » (*On entend du bruit dans l'appartement voisin.*) Qu'est-ce que c'est ... quel est ce bruit ?

DAUTIER, *écoutant.* Il paraît venir ...

LE BLUMEL. De chez moi, oui: on dirait la voix de 20
mon fils ... et celle de ma femme ... Voulez-vous parier que ce petit fait encore des siennes ! C'est insupportable ... je vais le leur faire dire.

(*Il sonne. Un domestique paraît.*)

4. *I shall lay the matter before ...*
7. *when a minister is, so to speak, impossible to get hold of.* (Note that Le Blumel makes a pun to which he calls attention in his next speech.)
12. *even if one is ...* (Note that *avoir beau* is often best translated by some other expression than *to do in vain.*)

SCÈNE II

LE BLUMEL, DAUTIER, UN DOMESTIQUE

LE BLUMEL. Qu'est-ce qui se passe ?

LE DOMESTIQUE. Je ne sais pas, monsieur le ministre . . .

LE BLUMEL. Eh bien, tâchez de savoir . . . Et priez
5 madame de faire taire cet enfant . . . Ou plutôt non . . . Dites à madame qu'elle veuille bien venir jusqu'à mon cabinet, que j'ai à lui parler.

LE DOMESTIQUE. Bien, monsieur le ministre. (*Il sort.*)

SCÈNE III

LE BLUMEL, DAUTIER

(*Un court silence. Le tumulte reprend.*)

10 LE BLUMEL, *à Dautier.* Tenez, voilà que ça recommence ! Allez donc travailler * dans ces conditions-là !

DAUTIER. Il faut être indulgent aux enfants.

LE BLUMEL. Indulgent, pardieu, je crois que je ne manque pas d'indulgence et qu'on ne peut prétendre que
15 je ne gâte pas mon fils ! . . . Je le gâte trop, et il en abuse ! Et sa mère aussi en abuse.

DAUTIER. Il est encore bien jeune.

LE BLUMEL. Voilà, voilà, oui, voilà ce qu'elle me répète chaque jour . . . Il est bien jeune ! Pour elle il le
20 sera toujours ! N'empêche que quand un gamin va sur ses sept ans ! . . . Sans compter que rien n'est mauvais pour lui comme l'oisiveté; or, depuis quinze jours que son institutrice est malade et qu'il se sent livré à lui-

11. *Try to work . . .*

même, la vie devient intenable. Heureusement que tout ça va changer . . . Parce qu'à un moment donné il faut sortir les enfants des mains des femmes, si l'on veut qu'ils deviennent des hommes à leur tour; aussi, dès que nous aurons reçu cette réponse que nous attendons 5
. . . Ce qui m'étonne, c'est qu'elle ne soit pas encore arrivée . . . Voyons, quand avez-vous porté la lettre?

DAUTIER. La lettre?

LE BLUMEL. Oui . . . que je vous ai confiée l'autre jour . . . à porter au lycée d'Alembert.* 10

DAUTIER. Ah! la lettre pour M. Lambruche?

LE BLUMEL. Lambruche, oui, mon vieil ami Lambruche! . . . Parce que le voilà, tenez, l'homme qu'il nous faut pour ce gamin . . . le précepteur, l'éducateur rêvé . . . Si j'avais pensé à lui plus tôt . . . oui! . . . 15
Seulement, je suis surpris de ne pas l'avoir encore vu . . .

DAUTIER. Ce n'est guère étonnant . . . il y a eu mercredi huit jours * que je me suis rendu à cet établissement, où vous m'aviez dit que M. Lambruche occupait un poste de maître répétiteur, mais vous vous souvenez 20
de la réponse que l'on m'a faite: que M. Lambruche avait quitté la maison depuis cinq ans déjà et que l'on ignorait son adresse actuelle.

LE BLUMEL. Mais vous l'avez retrouvée, cette adresse. 25

DAUTIER. Non sans peine . . .

LE BLUMEL. Alors? . . .

DAUTIER. M. Lambruche se trouvait peut-être absent.

10. The *lycée* is the most advanced secondary school in France, corresponding only vaguely to our high school. It prepares students for the bachelor's degree. D'Alembert (1717–1783) was a famous mathematician and philosopher.

18. *it was a week ago Wednesday.*

LE BLUMEL. Oui, peut-être... En tout cas il ne tardera pas, il ne peut guère tarder à venir... Aussitôt qu'il aura ma lettre il ne fera qu'un bond jusqu'ici.* Ce vieux Lambruche! En voilà un qui va être surpris, 5 tenez, et heureux de ce qui lui arrive là!...

DAUTIER. Certes.

LE BLUMEL. Surtout que la chose lui paraîtra plutôt inattendue.

DAUTIER. Il y a longtemps que vous n'aviez revu?...

10 LE BLUMEL. Quinze ans... seize ans... depuis le Quartier,* où nous étions étudiants tous les deux... Oui, lui préparait sa licence ès lettres, moi je faisais mon droit... Mais tous les soirs, après les cours, on se retrouvait à l'heure du repas dans un petit café... rue 15 Soufflot *... je le revois encore... Oh! un petit café bien modeste, parce que, dans ce temps-là, on ne roulait pas sur l'or... Ça ne fait rien, on vivait, gais, jeunes, insouciants!... On s'amusait... Et puis on travaillait, et pas seulement en vue des examens, non, 20 pour soi-même... On écrivait, on faisait des vers!... Moi aussi... Je crois même qu'à ce moment-là j'ai publié un volume... Vous ne saviez pas?... Parfaitement!... *Les Ondes sonores*, ça s'appelait... Hein! quel titre! Croyez-vous qu'il faut être jeune * pour 25 trouver un titre comme celui-là... Ah! si mes collègues

3. *he will come here as fast as his legs can carry him.*

11. *the Latin Quarter.* (That section of Paris on the left bank of the Seine across from Notre-Dame where the Sorbonne and many other institutions of learning are situated. It is so called because Latin remained for a long period the language of the schools.)

15. The broad street leading from the Panthéon to the Boulevard Saint Michel, in the heart of the Latin Quarter. Note the absence of any preposition in giving an address.

24. *It certainly takes a young man...*

de la Chambre le savaient, et les journaux, qu'est-ce que je prendrais ? * . . . Enfin . . . Lambruche et moi, nous vivions comme deux inséparables, deux frères; et ça a duré jusqu'au jour où le destin nous a forcés de suivre une route différente. Moi, une fois mes examens passés,* je suis retourné en Haute-Garonne auprès de mon père, puisque je devais prendre la suite de son cabinet d'avocat . . . Je me suis marié . . . Mon mariage m'a permis de faire de la politique . . . de me lancer . . . Lambruche, lui . . . il a continué sa vie de son côté . . . Je suppose que lui aussi a dû lâcher la littérature pour se consacrer exclusivement à l'enseignement, car, la seule fois que je l'aie rencontré, c'était précisément devant le lycée d'Alembert. Il sortait, il reconduisait ses élèves . . . Nous nous sommes arrêtés à bavarder . . . cinq minutes . . . le temps d'échanger quelques mots, quelques souvenirs . . . on avait même pris rendez-vous pour se revoir, on devait s'écrire . . . Et puis, naturellement . . .

DAUTIER. Mais . . . vous . . .

LE BLUMEL. Eh ?

DAUTIER. Vous ne craignez pas que, depuis ce temps-là, depuis si longtemps, vous ne retrouviez votre ami . . . enfin, autrement . . . dans une situation ! * . . . En huit ans il se passe tant de choses . . . et quand on perd quelqu'un de vue . . .

LE BLUMEL. Oh ! mais, je suis tranquille: intelligent, instruit et travailleur comme il était, je serais bien étonné qu'il n'ait pas suivi son petit bonhomme de

2. *what a roasting I'd get!*
6. *as soon as I had taken my exams . . .*
24. *in a bad way!*

chemin ... modestement, ça va sans dire ! Tout le monde ne peut pas marcher comme j'ai marché moi-même, mais, enfin ! ... D'ailleurs, il avait sa mère, autrefois, Lambruche, une vieille bonne femme* qui lui envoyait de l'argent. (*Un silence*). Et puis, alors même qu'il se trouverait dans une situation précaire ou difficile ... (il est certain qu'en l'espace de douze ou treize ans ...) raison de plus pour que je tende la main à un copain, un vieux camarade de jeunesse ... Parce que ... Vous le voyez, hein, lorsqu'il se trouvera en présence de qui ? de son vieux camarade, devenu quoi ? ministre ... Pauvre Lambruche ! Ah ! il me tarde de le voir arriver, tenez ... de lui causer cette surprise, cette joie, cet orgueil ... vous me comprenez, hein ?

DAUTIER. Je crois bien !

LE BLUMEL. Oui, vous me comprenez ! ... Mais je ne suis pas sûr que ma femme me comprendra aussi bien.

DAUTIER. Ah ! Madame Le Blumel ignore encore ? ...

LE BLUMEL. Elle ignore, oui ... Vous savez comme elle se montre faible dès qu'il s'agit de cet enfant ... et puis il s'était beaucoup attaché à son institutrice ... alors j'attendais une occasion propice ... Seulement, elle n'a pas l'air de venir vite, ma femme ... Voulez-vous parier que cet imbécile n'aura pas fait la commission ... Tenez, mon petit Dautier, vous feriez mieux d'aller voir vous-même ... Non ... la voilà.

4. *a simple old woman.* (*Bonne femme* is here the feminine of *bonhomme.*)

SCÈNE IV

Les Mêmes, plus MADAME LE BLUMEL

MADAME LE BLUMEL, *à Le Blumel.* Tu m'as fait demander? (*Dautier s'incline en la voyant*). Bonjour, monsieur Dautier.

DAUTIER, *saluant.* Madame...

LE BLUMEL. Oui, je t'ai fait demander, il y a déjà un bon moment!... 5

MADAME LE BLUMEL. J'avais peur de te déranger.

LE BLUMEL. Non, ce n'est pas toi qui me déranges! C'est ton fils.

MADAME LE BLUMEL. Tu l'entends d'ici?... 10

LE BLUMEL. Je l'entends! Vous l'écoutez, Dautier: elle demande si nous l'entendons!...

DAUTIER, *voulant s'esquiver.* Je vous demande la permission...

LE BLUMEL. Oui, mon petit Dautier. Tenez, vous 15 vous chargerez de ça... Et de ça. (*Il lui donne des papiers.*) Et puis, après, vous passerez à la Bibliothèque Nationale,* afin de recueillir ces documents pour mon discours... Je vous attends ici, à quatre heures. Nous aurons à travailler. 20

DAUTIER. Monsieur le ministre... Madame.

(*Il sort.*)

SCÈNE V

LE BLUMEL, MADAME LE BLUMEL

LE BLUMEL. Là. (*A sa femme.*) Oui, je l'entends, ton fils, il fait assez de vacarme pour que nous l'entendions.

18. One of the largest and most famous libraries in the world, situated on the rue de Richelieu in the center of Paris.

MADAME LE BLUMEL. Je lui avais pourtant bien recommandé de se tenir tranquille ! Mais, que veux-tu, le pauvre petit est tellement heureux de profiter de ces quelques jours de liberté que lui laisse l'indisposition de
5 mademoiselle de Quinsonnas ! Mais sois tranquille, il est plus que probable qu'avant la fin de la semaine son institutrice pourra revenir.

LE BLUMEL. Revenir . . .

MADAME LE BLUMEL. Oui . . . Qu'est-ce qu'il y
10 a ? . . .

LE BLUMEL. Il . . . y a . . . voilà . . . Tu devrais faire savoir à Mademoiselle de Quinsonnas, à cette excellente Mademoiselle de Quinsonnas, qu'elle prenne son temps, tout son temps,* pour se soigner.

15 MADAME LE BLUMEL. Pourquoi ?

LE BLUMEL. Parce que j'ai la ferme intention de ne pas la reprendre, de me passer désormais de ses services.

MADAME LE BLUMEL. Pour quelle raison ?

20 LE BLUMEL. Parce que je trouve que ce petit arrive à un âge où il faut penser un peu sérieusement à son instruction.

MADAME LE BLUMEL. Il est encore bien jeune !

LE BLUMEL. Là ! voilà ! . . . Toujours le même re-
25 frain ! Non, non, il n'est pas bien jeune. A sept ans, un enfant doit commencer à travailler pour tout de bon . . . Or, si on veut faire d'un enfant un homme, c'est à un autre homme qu'il faut le confier.

MADAME LE BLUMEL. Un autre . . .

30 LE BLUMEL. Parfaitement, qui veillera sur lui . . . qui l'instruira comme il convient, à son âge . . . C'est ce

14. *all the time she needs.*

que j'expliquais à l'instant à Dautier! Au surplus, quand tu connaîtras celui que j'ai choisi . . .

MADAME LE BLUMEL. Ah ! tu as déjà choisi ? . . .

LE BLUMEL. Mais oui.

MADAME LE BLUMEL. Et tu me l'annonces comme ça, 5 aujourd'hui ?

LE BLUMEL. J'attendais une occasion ! D'ailleurs, je ne voyais aucune nécessité de te parler de la chose avant de savoir si celui auquel j'avais pensé . . .

MADAME LE BLUMEL, *vivement*. Qui est-ce ? 10

LE BLUMEL. C'est un ami, un vieil ami à moi . . . un camarade de jeunesse avec lequel j'ai fait mes études au Quartier latin . . . il préparait sa licence ès lettres . . . Et, aujourd'hui, il se trouve justement qu'il occupe dans l'Université * une place ! . . . 15

MADAME LE BLUMEL. Comment s'appelle-t-il ?

LE BLUMEL. Comment il . . . Lambruche.

MADAME LE BLUMEL. Lambruche . . .

LE BLUMEL. Quoi . . . Oui, Lambruche ! C'est son nom. Mon vieil ami Lambruche. 20

MADAME LE BLUMEL. Il ne me dit rien ! *

LE BLUMEL. Tu ne l'as jamais vu ! . . .

MADAME LE BLUMEL. Je parle de son nom . . .

LE BLUMEL. Ah ! son . . . Je reconnais qu'il y en a de plus jolis ! Mais comme on ne choisit pas son nom ! 25 . . . L'important, c'est que celui qui le porte fasse notre affaire.

15. *the teaching profession.* (This word is used to mean the whole state organization of education, school teachers, professors, inspectors, etc.)

21. This expression may have two meanings: *He doesn't appeal to me,* and *It doesn't appeal to me.* Le Blumel takes it in the first sense until his wife explains.

MADAME LE BLUMEL. Et tu crois qu'il la fera ?

LE BLUMEL. J'en suis sûr . . . Tu penses bien * que je ne l'aurais pas choisi à la légère . . .

MADAME LE BLUMEL. Mais . . . depuis ? . . .

5 LE BLUMEL. Depuis . . .

MADAME LE BLUMEL. Tu l'as revu ce monsieur . . . Lambruche ?

LE BLUMEL. Bien sûr.

MADAME LE BLUMEL. Où ?

10 LE BLUMEL, *embarrassé.* Où . . . Eh bien, à droite et à gauche . . . il est venu au ministère . . . nous nous sommes rencontrés . . . tiens, il n'y a pas un an, devant son lycée . . . là où il est . . . professeur * . . . il sortait, il venait de faire son cours et nous avons passé une grande 15 heure ensemble à évoquer nos souvenirs communs. Il m'a raconté sa vie . . . ses travaux, oh ! des travaux considérables ! C'est quelqu'un,* tu sais . . . Et bon, doux avec les enfants, un vrai papa gâteau !

MADAME LE BLUMEL. Enfin, tu t'es entendu avec 20 lui ?

LE BLUMEL. En . . . principe . . . oui.

MADAME LE BLUMEL. Ah ! en principe, seulement ?

LE BLUMEL. C'est-à-dire, il doit me donner sa réponse définitive lui-même, d'un moment à l'autre . . . 25 Nous l'attendons. Voilà pourquoi j'ai tenu à te prévenir, afin que tu préviennes toi-même cet enfant.

MADAME LE BLUMEL. Pauvre petit !

LE BLUMEL. Quoi, pauvre petit ! . . . quoi, pauvre petit ! . . . Je ne vois pas en quoi il est à plaindre.

2. *You can be sure . . .*

13. Note that Lambruche was not actually a professor but a submaster, a *répétiteur.*

17. *He IS somebody.*

MADAME LE BLUMEL. Oh ! si, sensible comme il est ! Il aimait tant sa « Mademoiselle ! »

LE BLUMEL. Il aimera autant son précepteur ! C'est l'affaire de huit jours ! *

MADAME LE BLUMEL. Tu ne connais pas ton fils ! Enfin ! je vais toujours essayer d'adoucir le coup, de le préparer . . . 5

LE BLUMEL. C'est ça . . . (*Un domestique paraît.*) Quoi . . . quoi encore ?

SCÈNE VI

Les Mêmes, plus UN DOMESTIQUE

LE DOMESTIQUE. Je demande bien pardon à monsieur le ministre de le déranger, mais il y a dans l'antichambre quelqu'un qui insiste pour être reçu . . . 10

LE BLUMEL. Quelqu'un ? . . .

LE DOMESTIQUE. Oui, monsieur le ministre, quelqu'un de pas très . . . enfin . . . un drôle de bonhomme . . . avec un chapeau . . . et puis un cache-nez . . . l'air bizarre, autant dire . . . 15

LE BLUMEL. Qu'est-ce qu'il me veut ?

LE DOMESTIQUE. Il dit que monsieur le ministre lui a donné un rendez-vous. 20

LE BLUMEL. Quoi, rendez-vous ? Je n'ai donné aucun rendez-vous. C'est peut-être un électeur . . .

LE DOMESTIQUE. Je ne crois pas, monsieur le ministre.

MADAME LE BLUMEL. Non . . . moi aussi, je l'ai vu, en traversant l'antichambre pour venir ici . . . Il n'est même pas très poli, entre parenthèses : c'est à peine s'il 25

4. *It will only take a week !*

a touché * le bord de son chapeau quand je suis passée ... Et je suis de l'avis de Pierre, il a une drôle de mine ... moi, il m'a presque fait peur.

LE BLUMEL, *la calmant.* Allons ...

5 MADAME LE BLUMEL. C'est vrai qu'on ne sait jamais ce que peuvent vouloir des gens comme ça ... et dès qu'on est au pouvoir ... un peu en vue ...

LE BLUMEL. Allons, voyons ... ne nous énervons pas ... je te jure qu'il n'y a pas de quoi * ... D'ailleurs, 10 vous avez sa carte ?

LE DOMESTIQUE. C'est-à-dire que ce monsieur a écrit son nom sur un papier ...

LE BLUMEL. Eh bien, donnez. (*Il lit.*) Ah ! ça, c'est admirable ... Oui, vous pouvez faire entrer.

15 MADAME LE BLUMEL. Tu le connais ?

LE BLUMEL. Si je le connais ! * ... (*Se reprenant.*) Enfin, oui, je sais qui c'est, tu n'as rien à craindre ... Va rejoindre ton fils, va ... Laisse-moi ... tu peux me laisser.

20 MADAME LE BLUMEL. Tu ne préfères pas que je reste près de toi ?

LE BLUMEL. Mais non ... va rejoindre ton fils, d'autant que tu as des choses à lui dire.

MADAME LE BLUMEL. Ah ! oui, oui, mais, écoute ...

25 LE BLUMEL. Quoi encore ?

MADAME LE BLUMEL. Pour ce professeur, que tu veux lui donner ... ce Lambr ... Lambr ...

LE BLUMEL. Lambruche ... Joseph Lambruche ...

MADAME LE BLUMEL. Je ne pourrai jamais m'habituer

1. *he hardly touched ...*
9. *that there is no need ...*
16. *Do I know him !*

à ce nom ... Comme tu ne l'as pas encore vu, que tu peux ne pas t'entendre avec lui ... on ne sait jamais ... En tout cas ... Écoute ... Promets-moi que si ça arrivait ... si vous ne tombiez pas d'accord quand il viendra ... en admettant qu'il vienne ... nous reprendrions mademoiselle de Quinsonnas. 5

LE BLUMEL. Je te le promets, là.

MADAME LE BLUMEL. Bien.

LE BLUMEL. Mais, je te répète ...

MADAME LE BLUMEL, *vivement.* Non, non, tu as promis, tu as promis ! C'est tout ce que je te demande ... Et il va être sage, sois tranquille, tu ne l'entendras plus parler ou crier, jamais, jamais ... 10

(*Elle sort.*)

SCÈNE VII

LE BLUMEL

LE BLUMEL, *seul, va vers la porte du fond.* Ah ! c'est toi, voilà ! Entre, mon vieux ! Entre ! ... 15

SCÈNE VIII

LE BLUMEL, LAMBRUCHE

Lambruche entre. C'est un petit homme souffreteux, malingre. Il tient à la main un vieux chapeau d'une couleur indéfinissable, et le col de son pardessus minable, où manquent deux ou trois boutons, demeure obstinément relevé pour cacher son linge, ou peut-être le manque de linge.

LE BLUMEL, *surmontant un léger mouvement de surprise.* Ce vieux Lambruche ! Mais oui, c'est moi, ton ami ... ton copain Le Blumel ! Crois-tu, hein, qu'il y avait longtemps qu'on ne s'était vu,* nous deux ! 20

20. *What a terribly long time it's been since we've seen each other !*

LAMBRUCHE. Oui . . . il y a déjà pas mal d'années !

LE BLUMEL. Sept ans . . . huit ans . . .

LAMBRUCHE. Au moins.

LE BLUMEL. A peu près, puisque, la dernière fois, 5 c'était devant le lycée, tu te souviens . . . on avait bavardé, on s'était promis de se revoir . . . et puis . . .

LAMBRUCHE. Oui, on ne s'est pas revu . . .

LE BLUMEL. Non . . . Mais ce n'est pas étonnant: occupés comme nous le sommes . . . on mène une telle 10 existence . . . alors, les amis, les vieux amis . . . on les perd de vue . . . Heureusement, on ne les oublie pas, on se souvient d'eux à l'occasion, quand il le faut . . . Ce vieux Lambruche ! . . . Mais, assieds-toi, voyons . . . Tu ne peux pas savoir comme je suis content de te re- 15 voir, comme ça rappelle, ça remue en moi des choses . . . Tu vas bien, tu n'as pas changé . . .

LAMBRUCHE, *mélancolique.* Oh ! . . .

LE BLUMEL. Non, pas trop . . . je t'assure ! Tu as peut-être légèrement maigri.

20 LAMBRUCHE. Tu peux le dire,* et blanchi aussi.

LE BLUMEL. Tu crois ? Ah ! dame, nous ne sommes plus aussi jeunes qu'autrefois ! Il y a l'âge ! *

LAMBRUCHE, *profondément.* Oui, l'âge ! et autre chose.

25 LE BLUMEL. Évidemment ! Évidemment ! (*Un petit temps.*) Et moi, comment me trouves-tu ? . . . Pas trop changé ?

(*Un petit temps.*)

LAMBRUCHE. Si . . .

30 LE BLUMEL, *saisi.* Ah ?

LAMBRUCHE. Tout de même . . . toi aussi ! Oh ! je

20. *I should think so.* 22. *You must remember our age !*

t'aurais bien reconnu; mais, la dernière fois que je t'ai vu . . . les cheveux surtout.

LE BLUMEL. Quoi . . . ça s'éclaircit ?

LAMBRUCHE. Et puis le corps . . . le ventre ! Oh ! je sais bien que toi tu avais une tendance à grossir . . . 5 mais quand on est plus jeune, n'est-ce pas . . . comme on se tient plus droit . . .

LE BLUMEL. Enfin, tu me trouves épaissi ?

LAMBRUCHE. Un peu ! . . . C'est bien naturel.

LE BLUMEL. Eh ! oui. 10

LAMBRUCHE. Comme tu dis, il y a l'âge !

LE BLUMEL. Ah ! . . .

LAMBRUCHE. On ne peut pas être et avoir été !

(*Un petit temps.*)

LE BLUMEL. Ce vieux Lambruche ! Pourtant, je me 15 sens assez jeune, je t'assure, assez gaillard ! Je ne suis, autant dire, jamais malade ! A peine une crise de rhumatisme de temps à autre. Comme en ce moment, tiens ! Parce que, si je t'ai fait venir ici, chez moi, au lieu de te convoquer au ministère (*appuyant*), à *mon* 20 ministère, c'est que mon médecin m'interdit de sortir encore pendant deux ou trois jours. Alors, je te reçois ici, dans mon appartement privé . . . mon cabinet de travail . . . Car voilà où je travaille. Tu vois, je ne suis pas trop mal . . . n'est-ce pas ? 25

LAMBRUCHE *porte sa main en cornet derrière l'oreille, avec un geste familier chez les sourds.* Eh ? . . .

LE BLUMEL, *plus haut.* Je dis: ce n'est pas mal ici ?

LAMBRUCHE. Je te demande pardon, j'ai l'oreille un peu dure . . . la droite surtout . . . et quand il fait froid 30 comme aujourd'hui, surtout dans ton antichambre, en attendant tout à l'heure, brrr ! . . .

LE BLUMEL. C'est pourtant chauffé.

LAMBRUCHE. Oui, mais dans les grandes pièces on gèle toujours ! Moi, je suis devenu très frileux ! Il me faut des petites pièces chaudes, intimes, avec du soleil
5 qui entre à flots. Tu te souviens, comme chez toi, autrefois, dans ta chambre de la rue Serpente,* au sixième ? C'est là qu'il faisait bon.

LE BLUMEL, *une nuance de nervosité.* Il fait tout de même meilleur ici . . . Tu ne trouves pas ? Là-bas, ça
10 manquait tout de même un peu de confortable.

LAMBRUCHE. Oui, mais c'était bien quand même . . . Il y avait la grande fenêtre au midi . . . par où le jour entrait . . .

LE BLUMEL. Le jour et le froid !

15 LAMBRUCHE, *poursuivant.* . . . et, au milieu, le grand poêle, avec la bouillotte qui chantait, chantait . . . Ça répandait une chaleur douce, unie . . . qu'on réglait soi-même . . . Dans les appartements modernes, chauffés par des calorifères, ou bien on étouffe ou bien on gèle.
20 (*Il tousse.*) Et puis, à cause de tous ces meubles, des tentures . . . on respire forcément de la poussière . . . des microbes, et, quand on a, comme moi . . .

(*Il est pris par une quinte.*)

LE BLUMEL, *affectueusement.* Oh ! mon vieux !

25 LAMBRUCHE, *essayant vainement de reprendre le souffle.* Non ! Laisse ! . . . Ça . . . va . . . passer ! . . . Ce sont les . . . bronches . . . ces sacrées bronches . . . Oh ! ça ne date pas d'hier ! Chaque année, à l'entrée de l'hiver . . . (*Il tousse.*) C'est agaçant !

30 LE BLUMEL. Veux-tu prendre quelque chose, un peu de thé, pour te réchauffer . . . j'en prendrai avec toi.

6. A tiny street off the Boulevard Saint Michel.

LAMBRUCHE. Du . . . thé ? . . .

LE BLUMEL. Ou autre chose ?

LAMBRUCHE. Oui, j'aimerais mieux . . . autre chose . . . Parce que, du thé, moi . . . Autre chose d'un peu fort, qui remonte. 5

LE BLUMEL. Dis ce que tu veux.

LAMBRUCHE. Je ne sais pas . . . n'importe quoi . . . ce que tu auras. (*Avisant un plateau à liqueurs.*) Tiens, ça . . .

LE BLUMEL. Ça ? 10

LAMBRUCHE. Oui, sur la table.

LE BLUMEL, *un peu surpris.* Ça, mais ce sont des liqueurs . . . Oui, après déjeuner, nous venons prendre le café ici . . . Un petit verre de . . . cognac ?

LAMBRUCHE. Je t'avoue que je préfère. 15

LE BLUMEL. Rien de plus facile, voilà. (*Il porte le plateau et le dispose à portée de Lambruche. Celui-ci verse un verre, puis va pour en verser un autre. Le Blumel l'arrête du geste.*) Non, merci, pas pour moi, pas à jeun ! 20

LAMBRUCHE. Alors . . . (*Il boit.*) Il est bon ! Tu permets ? (*Il se verse un second verre qu'il avale pareillement.*) Ah ! ça va mieux !

(*Un peu de temps.*)

LE BLUMEL. Ce vieux Lambruche ! Mais, dis donc, 25 il me semble que tu as perdu tes bonnes habitudes d'autrefois ! Tu te souviens . . . quand on te blaguait, au Quartier, parce que tu te refusais *mordicus* à toucher même un petit verre d'alcool ?

LAMBRUCHE. Oui, mais dans ce temps-là, j'étais 30 solide. Je n'avais pas besoin de mettre de l'huile dans la lampe !

LE BLUMEL. Ça ne va donc pas ? . . .

LAMBRUCHE. . . . Si . . . ça va . . . ça va à condition de faire attention . . .

LE BLUMEL. Il faut te soigner.

5 LAMBRUCHE. Oh ! se soigner ! Il faut avoir le temps . . . et les moyens . . . parce que les médecins, les pharmaciens, tout ça coûte . . .

LE BLUMEL. Oui . . . évidemment . . . mais enfin dans ta situation . . .

10 LAMBRUCHE. Ma situation ! . . .

LE BLUMEL. Dame ! . . . quand on appartient à « l'Alma mater »* . . . l'Université . . .

LAMBRUCHE. Peuh ! . . . l'Université ! . . . Il y a beau temps que l'Université et moi nous nous sommes dit 15 adieu, pour toujours . . .

LE BLUMEL, *surpris.* Ah ? . . . je ne savais pas, moi. Comme, la dernière fois que nous nous sommes rencontrés, tu sortais précisément de ce lycée . . .

LAMBRUCHE, *avec âpreté.* J'en sortais, tu peux le 20 dire ! * J'en sortais avec l'espoir de ne jamais plus y rentrer . . . Oui . . . quand nous nous sommes trouvés, j'en étais à mon dernier mois de prison, de bagne !

LE BLUMEL. Tu n'étais pas . . . content ?

LAMBRUCHE, *violemment, ironiquement.* Content ! . . . 25 Content de passer des jours et des nuits à surveiller, à diriger . . . à mater de petits misérables qui ne savent quoi chercher, quoi imaginer pour se moquer de vous, vous bafouer, vous martyriser; qui n'ont même pas pitié de votre faiblesse, de vos infirmités !

30 LE BLUMEL. Infirm . . .

12. = *l'Université.* (Cf. the American use of this Latin expression.)
20. *That's the word for it !*

LAMBRUCHE. Oui, mon oreille ! . . . mes oreilles . . . C'est le moment où j'ai commencé à ne plus entendre très bien. Depuis quelque temps, je sentais bien qu'il se passait quelque chose là-dedans; et puis . . . peu à peu, ça a augmenté . . . augmenté ! . . . Oh ! maintenant, ça va un peu mieux, je me suis soigné ! . . . Aujourd'hui, quand on me parle, de près, dans une chambre, mais là-bas ! . . . Ah ! oui, j'en ai vu, ils m'en ont fait voir,* les misérables ! Tu penses,* un maître répétiteur, sourd aux trois quarts, quelle aubaine ! Moi, n'est-ce pas, je tentais bien de réagir, de lutter pour dominer la situation, mais eux abusaient de mon état. Ils inventaient mille trucs, mille niches qui m'agaçaient, m'aigrissaient . . . je devenais nerveux, méchant . . . Alors, un jour, comme un de ces garnements avait été un peu trop loin,* j'ai perdu patience, je me suis jeté sur lui et livré à des voies de fait . . . Oh ! çà, je me suis bien vengé ! . . . Seulement, comme il était le fils d'un personnage, un ambassadeur . . . l'affaire a pris des proportions . . . On a voulu me faire faire des excuses, j'ai refusé, on m'a mis à pied . . . et je me suis trouvé autant dire sur le pavé . . . sans ressources.

(*Un silence.*)

LE BLUMEL. Mais je croyais . . . ta mère . . .

LAMBRUCHE. Oh ! ma mère ! il y avait longtemps que j'avais cessé de la voir . . . que nous étions brouillés . . . Déjà, au moment de mon mariage . . .

LE BLUMEL. Ah ! je ne savais pas que tu étais . . . je te félicite.

8. *I had troubles enough, they led me a merry chase.*
9. *Just imagine.*
16. *had gone a little too far.*

LAMBRUCHE. Oh !

LE BLUMEL. Alors ta mère ne s'entendait pas avec ta femme ?

LAMBRUCHE. Elle n'a même pas cherché à s'entendre:
5 ma mère s'est toujours refusée à la voir.

LE BLUMEL. Pourquoi ?

LAMBRUCHE. Ah ! parce que ma mère avait ses idées, ses principes . . . et comme celle que je choisissais pour en faire ma femme, lui donner mon nom, était d'un
10 autre rang, d'une autre classe . . .

LE BLUMEL. Ah ! Pourtant je suis sûr que du moment que tu faisais ta vie avec . . . cette . . . personne . . . elle méritait bien . . .

LAMBRUCHE, *avec violence.* Ça, tu peux le dire qu'elle
15 le méritait ! Elle le méritait plus qu'aucune autre . . . Elle avait été assez malheureuse en commençant . . . et de toutes les manières . . . j'en sais quelque chose . . . et toi aussi.

LE BLUMEL, *surpris.* Moi ? . . .

20 LAMBRUCHE. Oui, parce que tu la connais, ma femme . . . tu l'as connue autrefois au Quartier . . . quand nous sortions tous quatre ensemble, toi avec ta Georgette et moi avec . . .

LE BLUMEL. Comment . . .

25 LAMBRUCHE. Lucienne, oui . . . Lulu . . . comme vous l'appeliez tous.

LE BLUMEL. Ah ! c'est . . . Lulu.

LAMBRUCHE, *avec largeur.** Que j'ai épousée, parfaitement, légitimement . . . je peux le déclarer à haute
30 voix . . . même devant toi . . . D'abord parce qu'entre celle que vous avez connue, que vous avez cru connaître

28. *Emphatically and seriously.*

et celle qui est devenue, grâce à moi . . . par moi . . . une femme . . . ma femme . . . il y a une telle différence ! . . .

LE BLUMEL. Je t'avoue que j'étais à mille lieues de m'attendre . . .

LAMBRUCHE, *ironique et supérieur.* Je pense bien * . . . 5 Toi, tu n'aurais pas épousé Georgette ! . . . Non . . . tu avais d'autres ambitions . . . plus grandes, plus hautes ! . . . Tu t'es contenté de lui demander le meilleur d'elle-même, sa beauté, sa jeunesse . . . Et puis, après . . . au revoir . . . débrouille-toi comme tu peux ! Eh bien, moi, 10 j'ai agi autrement avec Lulu. Voilà.

LE BLUMEL. Enfin, l'important est que tu sois heureux . . . par elle . . . si elle t'aime . . .

LAMBRUCHE, *avec éclat.* Elle ! Ah ! Dieu, la pauvre petite ! Oui . . . s'il suffisait de s'aimer pour trouver le 15 bonheur ! Malheureusement, il y a la vie, et quand celle-là commence à vous saisir, à vous courber, à vous broyer sous elle !

LE BLUMEL. Alors, ça n'a pas été tout seul ? *

LAMBRUCHE, *sombre.* Non, pas tout seul ! . . . Oh ! 20 d'abord, oui . . . je n'ai pas eu à me plaindre . . . Avec quelques sous que j'avais arrachés à ma mère de l'héritage de mon père . . . on s'était mariés et puis installés, ma petite et moi . . . en ménage . . . on vivait, bien serrés l'un contre l'autre,* tous les deux, et puis, après, tous les 25 trois . . . parce qu'il nous était venu un troisième, un enfant, un petit garçon . . . si beau ! Moi, naturellement, je travaillais pour nourrir ce monde-là . . . Grâce à mes diplômes, j'avais trouvé une place de

5. *I should think so.*
19. *it hasn't been plain sailing?*
25. *clinging close to each other.*

répétiteur dans une pension . . . je donnais des leçons particulières . . . Ça allait ! ça allait ! et ça a duré cinq ans, six ans ! . . . Et puis, alors, tout d'un coup, la contre-passe . . . la déveine . . . les chagrins . . . les malheurs . . . le malheur . . . la mort de ce petit, de cet enfant enlevé après dix jours de souffrances, de tortures . . . une maladie affreuse . . . dans la tête, là . . . une méningite . . .

LE BLUMEL. Mon pauvre . . .

LAMBRUCHE. Non, n'en parlons pas . . . je préfère n'en plus parler ! . . . Mais ç'a été terrible . . . Ma femme ne s'en est jamais consolée. Elle l'adorait, tu comprends, on ne vivait que pour lui . . . Alors, peu à peu, son caractère à elle a changé . . . s'est assombri. Elle n'aimait plus son intérieur, elle supportait mal de rester seule avec moi en tête-à-tête; elle sortait pendant des heures ! Où allait-elle ? . . . Et, quand elle rentrait, le soir ! . . . (*Vivement.*) Mais je ne lui en veux pas . . . non, je ne lui en ai jamais voulu . . . de rien ! . . . Elle voulait s'étourdir, oublier . . . Elle souffrait, tu comprends ! . . . Seulement, comme elle n'était pas bien forte, elle a commencé d'être malade, elle aussi. Elle toussait, elle maigrissait. Ça n'allait pas . . . Aussi le médecin a voulu qu'elle partît pour le Midi. Mais la laisser partir seule, la quitter . . . jamais ! . . . J'ai donc lâché ma boîte, mes leçons, et je pensais, j'espérais me tirer d'affaire quand même, là-bas. Malheureusement ! . . .

(*Un silence.*)

LE BLUMEL. Oui, je vois que tu n'as pas eu de chance !

LAMBRUCHE. Oh ! ce n'est rien . . . ce n'est rien encore . . . si je te racontais la suite . . . ma vie, depuis sept ou huit ans . . . Oh ! je peux dire que j'en ai fait des métiers, tous les métiers, quoi ! Un moment donné je me suis mis livreur, oui, mon vieux, livreur chez un tailleur, boulevard Poissonnière ! * . . . Je trottais du matin au soir pour porter des paquets . . . moi . . . parfaitement, avec mes diplômes ! Et puis, j'ai chanté des chansons . . . dans un cabaret sur la Butte * . . . des chansons que je composais moi-même, en m'accompagnant sur le piano . . . Ça, c'était le plus dur . . . Heureusement, on me payait assez bien, là-dedans . . . on n'était pas regardant sur les consommations . . . On nous laissait absorber cinq ou six petits verres de cerises à l'eau-de-vie pendant le spectacle . . . Ça vous remplace un repas, parce que l'alcool ça nourrit, ça réchauffe . . . Tu permets ? (*Il se verse un verre d'eau-de-vie.*) Oui, ça réchauffe ! Et ça vous met en train pour travailler . . . Aussi, après le spectacle, la nuit, une fois rentré chez moi, au lieu de me coucher, je m'asseyais devant ma table et j'écrivais . . . j'écrivais . . . sans arrêt . . . jusqu'au matin . . . C'est pendant cette période-là que j'ai fait mes plus beaux vers . . . tout mon poème: *la Délivrance de l'âme !*

LE BLUMEL. Ah ! je vois que tu as continué . . . comme autrefois . . . la poésie ! . . .

LAMBRUCHE, *avec exaltation.* Toujours. Plus que jamais ! Je n'ai jamais abdiqué, moi ! Je suis toujours resté fidèle au même idéal, malgré les épreuves, les dé-

5. A street that is far from elegant.
8. *Montmartre.* (Montmartre, the section of Paris which was formerly the Bohemian quarter and which is now filled with large and small night clubs, is situated on a hill, " *butte*", in the northern part of the city.)

boires de la vie! Poète je naquis et poète je mourrai. Tu verras, tu verras ce que j'ai écrit, amoncelé pendant ces six ans . . . il y en a des volumes! . . . Mais rien, rien n'égale ce poème dont je te parle. Il dépasse tout, tu
5 m'entends, tout ce qu'on a écrit dans le genre: la subtilité frémissante de Verlaine,* l'âpreté nostalgique de Baudelaire * . . . avec quelque chose en plus! Moi, je ne me vante pas, tu sais, je vois clairement, impitoyablement, mais je vais te dire quelque chose que je ne dirais
10 à personne autre qu'à toi: A présent, je peux m'en aller . . . tu comprends! je peux mourir! . . . Ah! D'ailleurs, je t'en lirai des passages, tu verras . . . ceux qui ont paru dans notre revue . . .

LE BLUMEL. Votre . . .

15 LAMBRUCHE. Oui, *la Vérité nouvelle*, que nous avons fondée à quatre ou cinq * avec Rebertier . . . tu te souviens, Rebertier . . . un grand maigre? . . . Il nous lisait des stances et buvait quatorze bocks en cinq minutes! Comment, tu ne te souviens pas? Enfin, c'est
20 avec lui et avec d'autres que nous avons fondé *la Vérité nouvelle*. Moi, je suis le secrétaire de la rédaction . . .

LE BLUMEL. Alors, je vois que tu as trouvé une situation.

25 LAMBRUCHE. Oh! une situation, tu penses bien * qu'elle est surtout honorifique!

LE BLUMEL. Ah! . . .

6. Verlaine, 1844–1896, was one of the greatest poets of the Symbolist school.

7. Baudelaire, 1831–1867, was another of the greatest lyric poets of the nineteenth century.

16. *which four or five of us founded.*

25. *you can be sure.*

LAMBRUCHE. Si je n'avais que cette situation-là pour vivre... Non... je ne vais là que le soir... après mon travail de copie, parce que voilà où j'en suis réduit... faire des copies... à tant la page pendant dix heures! Mais assez parlé de moi, de mes misères; 5
surtout que celles-là ne sont rien quand on garde son cerveau, qu'on peut travailler... créer!... Et puis, chacun a les siennes,* n'est-ce pas?... Parlons plutôt un peu de toi... Alors, et toi, mon pauvre vieux?...

LE BLUMEL, *stupéfait*. Moi... 10

LAMBRUCHE. Tu dois en avoir aussi, hein! à me raconter, depuis le temps qu'on ne s'était vu?... Ça va-t-il comme tu veux?... Es-tu un peu content?

LE BLUMEL. Content? Mais je crois que je serais difficile si je ne l'étais pas. 15

LAMBRUCHE, *tendant l'oreille*. Eh?

LE BLUMEL. Je te dis: je serais difficile si je me déclarais mécontent.

LAMBRUCHE. Ah!... oui!... je sais bien que c'est toujours plus facile quand on vit seul. 20

LE BLUMEL, *protestant*. Mais je ne suis pas seul. Moi aussi, je suis marié.

LAMBRUCHE. Comment, toi aussi, mon pauvre vieux?

LE BLUMEL, *avec animation*. Et je ne me plains pas! J'ai épousé une femme charmante, parfaitement élevée, 25
jolie, d'excellente famille... Elle est la fille de Marescot.

LAMBRUCHE. Marescot?

LE BLUMEL. Oui... le fameux peintre!...

LAMBRUCHE. Connais pas!*...

8. Reference is to the antecedent, *misères*.
29. *I never heard of him!* (A very curt way of saying *Je ne le connais pas.*)

LE BLUMEL. Mais si, voyons... il est de l'Institut.*

LAMBRUCHE, *ironique.* Ah!... oui. Alors, je vois ça d'ici *... une vieille barbe, hein... Ah!... Crois-tu qu'on les charriait assez,* hein, autrefois... les pon-
5 tifes... les pompiers... les gloires officielles... Et nous n'avons pas cessé... Tu verras dans le prochain numéro de notre revue...

LE BLUMEL. Mais je t'assure que tu te méprends sur mon beau-père... Si tu connaissais sa peinture!...
10 D'ailleurs, tiens, voilà un de ses tableaux, justement le portrait de sa fille, de ma femme.

LAMBRUCHE, *il regarde.* Ah! c'est ta femme, ça? Oui... (*Un silence.*) Et... elle est jolie?

LE BLUMEL. Tu ne trouves pas?

15 LAMBRUCHE, *protestant faiblement.* Si, si... quoique, en peinture, on ne se rende jamais bien compte; surtout cette peinture-là, léchée, arrangée... (*Un temps, avec légèreté.*) C'est une petite femme.

LE BLUMEL. Mon Dieu!...

20 LAMBRUCHE. Enfin, là-dessus, elle a l'air tout petit! Ça doit te changer,* hein, toi qui aimais les belles filles, saines, plantureuses... Georgette... Ah!... Georgette! en voilà une qui était belle. Ta femme ne lui ressemble pas.

25 LE BLUMEL. Heureusement.

LAMBRUCHE. Je parle au physique.

LE BLUMEL. J'entends bien!

1. The five French Academies together form the Institute. These academies are: L'Académie Française, L'Académie des Inscriptions et Belles-Lettres, L'Académie des Sciences Morales et Politiques, L'Académie des Sciences, and L'Académie des Beaux-Arts.

3. *I get the idea.*

4. *How we used to poke fun at them.*

21. *That must be a change for you.*

LAMBRUCHE. Au moral,* je ne la connais pas... Mais, au moral, Georgette aussi avait des qualités, de grandes qualités: de l'intelligence, de la finesse... et quel heureux caractère... quelle bonté!... (*Profondément.*) Elle t'aimait bien, celle-là. 5

LE BLUMEL. Mais je te prie de croire que ma femme...

LAMBRUCHE. Ainsi tu es marié... Toi aussi!... Et tu as des enfants?

LE BLUMEL. Un enfant... un petit garçon délicieux 10 ... C'est même à ce propos...

LAMBRUCHE. A ce propos?...

LE BLUMEL. Oui, quand je t'ai écrit pour te demander de venir me voir, je voulais te proposer... (*Il le regarde, puis, se ravisant.*) Non, je te dirai ça une autre fois, 15 plus tard... Enfin, j'ai un fils, voilà.

LAMBRUCHE. Et... il te ressemble?

LE BLUMEL, *interloqué.* S'il *... mais oui, je crois... On le dit.

Machinalement il regarde une photographie. 20

LAMBRUCHE. C'est son portrait que tu as là?...

LE BLUMEL, *éludant.* C'est-à-dire... c'est une mauvaise photographie...

LAMBRUCHE. Montre...

LE BLUMEL. Tu veux?... 25

LAMBRUCHE, *insistant.* Mais oui, montre donc. (*Il prend la photographie et l'examine sous le regard anxieux de Le Blumel.*) Oui!... il est gentil.

LE BLUMEL, *vivement.* Ah! N'est-ce pas?

LAMBRUCHE. Très gentil... Et... tu es content de 30 lui?

1. *As for her character...* 18. *Does he...*

LE BLUMEL. Très content. C'est-à-dire, il est un peu diable, un peu turbulent parfois ... et il arrive à un âge où il aurait besoin de se sentir un peu surveillé, dirigé ... par quelqu'un ... quelqu'un justement ... qui se
5 chargerait de lui, de son éducation ... tu comprends ?

LAMBRUCHE. Parfaitement.

LE BLUMEL. Oh ! ce n'est pas que je me plaigne: quand un enfant s'amuse, c'est signe qu'il se porte bien.

10 LAMBRUCHE. Ah ! il se porte bien ... le tien ?

LE BLUMEL, *interloqué*. Mais oui.

LAMBRUCHE. Tant mieux ! Tant mieux ! Tâche que ça dure !

LE BLUMEL. J'espère bien.

15 LAMBRUCHE. Oh ! tu sais, avec les enfants ! Le mien aussi ... était gai ... vivant, il jouait toute la journée ... et puis un beau matin ... Soigne-le bien, va ... surveille-le ... ménage-le ...

LE BLUMEL. Sois tranquille.

20 LAMBRUCHE. D'autant qu'il n'a pas l'air bien fort, bien gaillard !

LE BLUMEL, *vivement*. Tu te trompes !

LAMBRUCHE. Je le souhaite ! C'est si triste de voir un enfant s'étioler, s'affaiblir tout à coup ... et puis,
25 après ... Oui, ménage-le ... c'est un conseil que je te donne, dans ton intérêt et dans le sien aussi, pauvre petit !

LE BLUMEL, *nerveusement*. Mais je te jure qu'il n'est pas à plaindre ! Surtout que, vivant près de nous, gâté
30 comme il l'est par sa mère et par moi ... sans oublier les autres, ceux qui l'entourent lui font fête ... Tu penses qu'il a déjà sa petite cour ... Quand on est l'enfant d'un

homme en vue . . . au pouvoir . . . qui occupe . . . enfin . . . ma situation . . .

LAMBRUCHE, *geste.* Eh ?

LE BLUMEL. Je dis : quand on a ma situation . . . parce que, à quarante-deux ans, ministre ! . . . 5

LAMBRUCHE, *lointain.* Ministre ? . . . Ah ! oui, c'est vrai que tu es devenu . . .

LE BLUMEL, *nerveux.* Ministre . . . sous-secrétaire d'Etat, si tu préfères. Tu ne t'en souvenais pas ? . . .

LAMBRUCHE. Ma foi . . . tu sais . . . avec tous ces 10 changements dans le gouvernement. Mais, en effet, je me rappelle qu'un soir, il y a un ou deux mois, au café Procope * où nous nous réunissons, Rebertier, justement, dont je te parlais tout à l'heure, nous a lu, dans un journal, une liste ministérielle et a cité ton nom. 15

LE BLUMEL. Ah !

LAMBRUCHE. En passant, comme ça ! . . . Il a dit : « Le Blumel . . . est-ce que nous n'avons pas connu ce Le Blumel, autrefois ? » Et il a même ajouté . . . tu vas rire . . . il a même ajouté : « Il est bien capable d'être 20 devenu ministre, celui-là . . . il avait tout ce qu'il fallait * pour mal tourner ! »

LE BLUMEL, *crispé.* Très drôle !

LAMBRUCHE. Oh ! tu sais, Rebertier, il disait ça pour plaisanter, il a toujours été un peu fumiste . . . Et puis, 25 je te le répète, on n'a pas insisté . . . Tout de suite on s'est mis à parler d'autre chose, parce qu'on était justement en train de préparer le deuxième numéro de la revue, et Rebertier devait nous lire, ce soir-là, une étude sur Baudelaire . . . un morceau remarquable ; je te l'enverrai . . . 30

13. This had been one of the most famous cafés in Paris.
22. *he had what it takes* or *he had all the qualities necessary.*

LE BLUMEL. Je te remercie ! Mais je ne te promets pas de le lire tout de suite . . .

LAMBRUCHE. Non. Oh ! je pense bien * que tu dois être plutôt occupé.

5 LE BLUMEL. Plutôt ! . . .

LAMBRUCHE. Ah ! mon pauvre vieux, va, je te plains ! Dois-tu en avaler de la paperasserie !* Et en rédiger ! Et des discours ! . . . Et toutes ces choses embêtantes que viennent te raconter les gens, les gens qui s'empres-
10 sent autour de toi, qui se prosternent devant toi jusqu'à ce qu'ils aient obtenu ce qu'ils souhaitent . . . et puis après . . . Prrut ! . . . Ah ! ça ne vaut pas notre belle vie d'autrefois, hein ? Quand on passait des nuits à se lire ce qu'on avait écrit pendant le jour, à échanger
15 des idées, à se griser de rêves, de projets ! Quand on voulait devenir de grands hommes, les poètes de l'avenir, les porte-flambeau de notre génération, quoi ! . . . Toi, surtout . . . qui étais le plus doué d'entre nous . . . le plus actif ! . . . Le seul qui déjà, à cette époque,
20 avais réussi à publier ton bouquin . . . tes vers . . . *les Ondes sonores*. (*Avec profondeur.*) Ça, c'était beau ! . . .

LE BLUMEL. Ne parlons pas . . .

LAMBRUCHE. Et pourquoi donc ?

LE BLUMEL. Parce que ça n'existe pas ! Des bêtises,
25 des folies de jeunesse !

LAMBRUCHE, *indigné.* Des folies ! Pour les ignorants peut-être, les imbéciles, les aveugles ! Mais pas pour nous autres qui t'admirions, qui espérions tant de toi ! Tiens, pas plus tard que cette semaine, quand j'ai reçu
30 ta lettre, je l'ai montrée à ma femme, et, tout naturelle-

3. *I guess.*
7. *What a lot of red tape you must have to get through !*

ment, on a parlé d'autrefois, du passé... Et de fil en aiguille, on en est venu à sortir de la bibliothèque ton livre... oh! que j'ai gardé précieusement, avec la dédicace: « A mon cher Lambruche, qui est un grand poète, ces premiers vers d'un poète qui deviendra 5 grand. » Oh! je la sais par cœur, et je sais par cœur beaucoup de morceaux. Nous les relisons souvent, ma petite et moi. Et, l'autre soir encore, nous nous sommes mis à les relire, jusqu'à deux heures du matin... Eh bien, tu me croiras si tu veux, nous pleurions, mon 10 vieux, nous pleurions! Aussi, après, une fois couché, ça m'avait tellement remué que je ne pouvais plus m'endormir, je me suis mis à songer, à rêver à ça... et à en causer avec elle... Et nous nous disions tous les deux: Voilà, penser, penser qu'un garçon comme 15 celui-là, encore si magnifiquement, si exceptionnellement doué pour devenir quelqu'un... un garçon qui devait monter... monter... on ne sait pas jusqu'où, brusquement a renoncé, abdiqué, s'est arrêté, en pleine ascension *... afin de prendre une autre route! 20 ... Et tout ça parce que la vie l'a contraint de le faire ... la sale vie, toujours, toujours la plus forte, qui vous use... vous broie... Ah! mon pauvre vieux, va, mon pauvre vieux... (*Il se verse une rasade d'eau-de-vie qu'il avale.*) Enfin, inutile de s'appesantir, de récriminer, s'pas?* Il vaut mieux se détourner, oublier ce 25 qui peut vous attrister, vous déprimer, regarder droit devant soi, courageusement, avec confiance, avec foi! D'autant que, puisqu'on se retrouve là, tous les deux... et qu'on peut — on ne sait pas — s'aider, se servir 30

20. *in the very midst of increasing power and success...*
26. = *n'est-ce pas.*

l'un l'autre toujours... comme autrefois!... Parce que, pour ma part, je suis tout prêt... tu peux compter sur moi... absolument... Voyons... tu m'as écrit ... dans ta lettre, tu me disais que tu voulais me de-
5 mander quelque chose.

LE BLUMEL, *protestant.* Te demander... c'est-à-dire...

LAMBRUCHE. Où diable l'ai-je mise, ta lettre?... Je croyais bien, pourtant... (*Il la cherche dans ses*
10 *poches, la trouve, la lit.*) Ah! la voilà... (*Lisant.*) « Mon vieux Lambruche, au reçu de ce mot, viens donc me voir d'urgence chez moi, car je garde la chambre et ne vais pas à mon ministère. » Ton... C'est vrai que c'est ton ministère, après tout.

15 LE BLUMEL, *ironique.* Oui.

LAMBRUCHE, *reprenant.* ... « à mon ministère; j'ai à te faire une proposition qui, je l'espère, te conviendra. Si tu l'acceptes, comme je le pense, nous pourrons revivre l'un près de l'autre et quotidiennement les bonnes
20 et belles heures de notre jeunesse, etc. — Ton vieux camarade. » Alors, vas-y... j'attends.

LE BLUMEL. Tu attends?...

LAMBRUCHE. Oui, que tu me dises ce que tu as à me proposer.

25 LE BLUMEL. C'est que...

LAMBRUCHE. Quoi? Va donc... Tu n'as pas besoin de te gêner!

LE BLUMEL, *protestant.* Mais je...

LAMBRUCHE. Nous sommes entre vieux copains;
30 alors, tu supposes bien * que je ferais tout pour t'obliger. Allez!

30. *you know.*

LE BLUMEL, *très ennuyé*. C'est que . . . d'abord, c'est un projet . . . Un projet vague . . . Il s'agit d'une situation.

LAMBRUCHE. Pour moi ?

LE BLUMEL. Bien sûr. 5

LAMBRUCHE. Bon . . . ici . . . chez toi ? . . .

LE BLUMEL, *vivement*. Chez . . . non.

LAMBRUCHE, *surpris*. Ah !

LE BLUMEL. Non, pas ici, au ministère.

LAMBRUCHE. Au ministère ? 10

LE BLUMEL, *vivement*. Là-bas, j'ai différents services, n'est-ce pas . . . Alors, j'ai pensé que, peut-être, à l'occasion, si une vacance s'offrait, je pourrais t'employer . . . te proposer un emploi qui te conviendrait . . . ça vaudrait toujours mieux pour toi que de faire de la 15 copie. En ce moment, je n'ai rien de libre, mais si un jour, bientôt peut-être, tu comprends . . . C'est bien le moins que je fasse profiter un ami.* Voilà . . .

(*Un temps.*)

LAMBRUCHE. C'est ça ? 20

LE BLUMEL. Ça ?

LAMBRUCHE. Que tu avais à me proposer . . . ta situation ?

LE BLUMEL, *vivement*. Elle ne te convient pas ? Oh ! remarque bien que je comprends parfaitement que tu 25 hésites . . . Naturellement, si je pouvais t'offrir autre chose . . .

LAMBRUCHE, *un temps*. Tu es sûr, oui, que tu n'as pas autre chose à m'offrir de plus avantageux ?

LE BLUMEL, *très gêné*. Mais, voyons, mon vieux . . . 30

LAMBRUCHE, *sombre*. Ah ! . . . C'est drôle ! . . .

18. *The least I can do is to help out a friend with it.*

LE BLUMEL. Quoi donc ?

LAMBRUCHE. Non, rien ... C'est drôle que, m'ayant écrit cette lettre si pressante ... A cause de ce qu'elle contenait, n'est-ce pas, j'étais en droit de croire ...

5 LE BLUMEL. Ce qu'elle contenait ...

LAMBRUCHE. Dame ! ... Tu me parlais de reprendre notre bonne vie d'autrefois, de nous voir tous les jours; alors, moi, je m'étais figuré ... surtout ... là ... il y a un instant ... quand tu me racontais que ton fils avait 10 besoin d'être surveillé, dirigé ... parce que, quand un enfant grandit ...

LE BLUMEL. Oh ! il est encore bien petit.

LAMBRUCHE. Oui, oui ! ... Mais, n'est-ce pas, quand tu m'as connu, je me destinais à l'enseignement; c'est 15 mon métier, en somme ! ... Quelquefois, tu sais, on se forge des idées ... l'imagination travaille ! Et j'avoue que ça, ç'aurait été pour moi ... le salut, le bonheur ... le rêve, quoi ! Pense donc, après tout ce que j'ai enduré ... la chienne de vie que j'ai menée, trouver ici, dans 20 une maison, le calme, le bien-être, la sécurité matérielle ... C'est ma pauvre petite qui aurait été heureuse ... Elle qui a supporté tant d'épreuves et qui en supporte encore tant chaque jour ... Et remarque bien que je ne cherche même pas à me faire valoir, non, tu me 25 connais ! ... Tu sais que si tu m'avais confié une tâche comme celle-là ! ... J'ai beau avoir roulé * et bourlingué à droite et à gauche ... Si, si, je me rends bien compte de ce que je suis devenu ... mais je n'en sens pas moins en moi des ressources, des forces ... qui ne demandent 30 qu'à s'affirmer ... Et il suffirait d'une occasion, d'une seule ... d'une main qui se tende vers moi pour qu'elles

26. *Even if I have been a rolling stone ...*

s'affirment victorieusement . . . (*Un silence, les deux hommes se considèrent. Le Blumel est au supplice.*) Enfin ! que veux-tu, puisque ce n'est pas de ça qu'il s'agit ! . . . (*Un silence.*) Mais je me laisse aller . . . je bavarde et tu dois avoir pas mal de choses . . . 5

LE BLUMEL. Non. Oh ! . . .

LAMBRUCHE. Si, si, je ne veux pas abuser . . . Alors . . . je vais te laisser, te dire adieu.

LE BLUMEL, *protestant.* Pourquoi adieu ? . . . Je pense bien qu'à présent on se reverra, au contraire. 10

LAMBRUCHE, *profondément.* Crois-tu ? . . .

LE BLUMEL, *saisi.* Comment ?

LAMBRUCHE. Crois-tu vraiment qu'on se reverra ?

LE BLUMEL. Mais, voyons ! . . . A moins que ça ne te déplaise. 15

LAMBRUCHE, *dans les yeux.** Oh ! ce n'est pas moi ! C'est toi . . .

LE BLUMEL, *vivement.* Moi ? . . . tu es fou. Tu vois bien que, dès que j'ai pu te faire signe . . . Au contraire, ça m'a fait un grand plaisir de te retrouver . . . de bavarder avec toi, comme autrefois . . . 20

LAMBRUCHE, *sceptique.* C'est vrai ? . . .

LE BLUMEL. Tu en doutes ?

LAMBRUCHE. Je ne sais pas ! Au commencement, oui, au début de notre rencontre, j'ai eu l'impression 25 que tu m'accueillais sans déplaisir . . . avec sympathie . . . Et puis après . . . au fur et à mesure qu'on causait, peu à peu, il m'a semblé que quelque chose de sournois . . . de mauvais, d'hostile s'élevait entre nous, t'éloignait, te détachait de moi . . . que tu ressentais comme 30 un malaise . . . une déception à m'écouter.

16. *looking him straight in the eye.*

LE BLUMEL. Oh !

LAMBRUCHE, *insistant.* Si, et même que je te déplaisais, que je t'irritais en me montrant tel que je suis . . . tel que je n'aurais peut-être pas dû me montrer devant toi.

5 LE BLUMEL, *protestant.* Tu divagues !

LAMBRUCHE, *s'animant.* Non ! Non ! Oh ! d'ailleurs, ce n'est pas la première fois que pareille chose se produit. Je me rends bien compte, va . . . que parfois . . . souvent . . . je parle trop franchement, trop crû-
10 ment, avec brutalité . . . que je ne dis pas ce que je devrais dire ou que je dis ce que je ne devrais pas dire . . . Les gens . . . n'aiment pas beaucoup ça . . . ils préfèrent qu'on les flatte, qu'on leur mente, qu'on se prosterne devant eux.

15 LE BLUMEL. Je te prie de croire . . .

LAMBRUCHE. Mais, moi . . . je suis comme ça ! . . . Je ne sais pas dissimuler, mentir . . . J'ai horreur des courbettes, de l'aplatissement. Tant pis, tant pis si ça me fait du tort ! (*Avec mélancolie.*) Oh ! ça m'en a
20 déjà fait . . . et aux miens aussi ! Je devrais me surveiller mieux, me dominer davantage. Ma pauvre petite femme me le répète assez souvent . . . Elle sait bien, elle, que je ne suis pas méchant . . . mais elle prétend que je le parais . . . et puis aigri ! . . . Et il y a peut-
25 être aussi un peu de ça, tout de même ! C'est vrai, à force d'avoir lutté, souffert, on finit par rendre les autres responsables de ce qui vous arrive . . . et ils s'en aperçoivent . . . ils vous en veulent . . . Et, alors . . . quelquefois, ça les décourage de vous faire du bien
30 . . . (*Un long silence.*) Enfin ! si je t'ai dit des choses qui t'ont offusqué . . . ou blessé . . . il ne faut pas trop m'en garder rancune.

LE BLUMEL, *apitoyé.* Mais, mon vieux . . .

LAMBRUCHE, *s'exaltant.* Et puis, toi et moi, nous sommes de vieux camarades, n'est-ce pas, des amis de toujours, alors, ce n'est vraiment pas la peine de bluffer l'un vis-à-vis de l'autre ! Nous nous connaissons trop 5 bien, nous savons la vraie valeur des choses et des gens ! . . . D'ailleurs, dans la vie, tout a si peu d'importance ! L'important, c'est de la traverser le mieux possible . . . le front levé, les yeux fixés sur une lumière, un idéal . . . de rêver un beau rêve . . . le plus beau pos- 10 sible . . . quel qu'il soit ! . . . Le reste . . .

Il fait un geste de mépris. Sonnerie de téléphone.

LE BLUMEL. Je te demande pardon, une seconde . . . (*Il prend le récepteur.*) Allô . . . oui . . . c'est moi . . . Sous-secrétaire d'État Le Blumel. Oui. Ah ! bien, 15 monsieur le président, vous êtes trop bon . . . Entendu . . . Ce sera fait . . . Vous pouvez compter sur moi. A bientôt, monsieur le président. (*Il raccroche le récepteur.*) C'est le président du Conseil, oui ! (*Vivement.*) Ce n'est rien . . . ça n'a pas d'importance . . . 20 (*Lambruche fait un mouvement comme pour prendre congé.*) Alors, tu pars, décidément.

LAMBRUCHE. Il faut bien . . . puisque tu n'as rien d'autre à me dire.

Il se dirige vers la sortie. 25

LE BLUMEL, *brusquement.* Attends . . .

LAMBRUCHE. Eh . . .

LE BLUMEL. Non . . . Rien . . . (*Même jeu.*) Si . . . Écoute . . . Voilà, je me sens un peu gêné pour te dire . . . te proposer. Mais, enfin, je t'ai fait venir . . . je t'ai 30 dérangé.

LAMBRUCHE. Le dérangement n'est pas bien grand !

LE BLUMEL. Tout de même ! Et, d'après ce que tu m'as dit . . . ce que j'ai deviné de ta situation . . . Alors, je voudrais te demander d'accepter sans façon . . . comme je te l'offre . . . un petit quelque chose qui te
5 permettra . . . tu me comprends. (*Il met la main à son portefeuille.*)

LAMBRUCHE, *l'arrêtant.* Non. Oh ! non, je te remercie. Je ne te demande rien. Ce n'était pas pour ça que j'étais venu . . .

10 LE BLUMEL. Je le sais . . . Mais, entre amis, entre camarades ! Je t'assure que ça ne me gêne pas du tout.

LAMBRUCHE, *ironique.* Oh ! je pense bien.* Mais non . . . non . . . Pas ça, je préfère . . .

LE BLUMEL. Ah ! . . . Alors ! (*Il rentre son porte-*
15 *feuille, gêné.*) En tout cas, pour ce que je t'ai dit tout à l'heure, je vais m'en occuper tout de suite, et je vais tâcher de trouver quelque chose.

LAMBRUCHE, *détaché.* Oui . . . Si tu veux . . . (*Il va jusqu'au fond puis s'arrête.*) Mais à une condition.

20 LE BLUMEL, *surpris.* Une . . .

LAMBRUCHE. C'est que si, un jour, je peux te rendre un service, à mon tour, oh ! pas d'argent . . . l'argent, il n'y a pas que l'argent * au monde, il y a autre chose, surtout pour des gens comme nous . . . Alors, quand tu
25 ne seras plus ministre ! Ça peut arriver ! . . .

LE BLUMEL, *contraint.* Certes ! . . .

LAMBRUCHE. Quand tu redeviendras un homme comme les autres . . . un homme libre de penser, d'exprimer ses idées, et que tu chercheras une autre tribune
30 plus noble, eh bien, ce jour-là, viens me trouver, viens

12. *Well, I should think it wouldn't.*
23. *money isn't the only thing.*

nous trouver à la Revue * . . . Nous y sommes au complet, et entre nous,* mais ça ne fait rien: pour toi, on se serrera les coudes . . . on te fera une petite place, ou une grande . . . Celui qui a écrit *les Ondes sonores* ne sera jamais un étranger pour nous . . . On l'accueillera comme l'enfant prodigue. 5

LE BLUMEL, *crispé.* Bien gentil . . .

LAMBRUCHE. Du tout. Et je te parle du fond du cœur . . . Moi, ce ne sont pas des promesses en l'air que je te fais là . . . Rappelle-toi bien mes paroles: « Chez nous, ce que tu voudras ! Quand tu le voudras ! . . . » 10

LE BLUMEL, *vaincu.* Je te remercie.

Lambruche sort.

SCÈNE IX

LE BLUMEL, DAUTIER

LE BLUMEL, *exaspéré.* Ah ! celle-là !* . . . (*Dautier paraît.*) Ah ! vous voilà, mon petit Dautier. Vous arrivez bien *: je vous attendais avec impatience. Vite, vite à la besogne . . . Oui, j'ai besoin de travailler . . . de m'absorber un peu dans du travail . . . Vous avez les documents ? . . . 15

DAUTIER. Je les ai . . . mais . . . 20

LE BLUMEL. Quoi ?

DAUTIER. Il y a là des gens qui attendent dans votre antichambre. Des solliciteurs.

LE BLUMEL, *vivement.* Des solliciteurs ! Oui, je vais

1. *at the office of the Review.*
2. *and all friends.*
14. *Oh ! What a . . . !* (The feminine is used because some such word as *chose* is in mind.)
16. *I'm glad you've come.*

les recevoir tout de suite, ça me changera les idées. J'en ai bien besoin ! A propos ...

DAUTIER. Monsieur le ministre ...

LE BLUMEL. La personne que vous avez dû rencon-
5 trer qui sortait d'ici.

DAUTIER. Votre ami M. Lambruche, le nouveau précepteur.

LE BLUMEL, *avec éclat.* Quel précepteur ? Il n'y a pas de nouveau précepteur ! Et il n'y en aura pas !

10 DAUTIER. Ah ! je ne savais pas ! Je croyais que vous deviez vous entendre avec lui.

LE BLUMEL. Oui, mais je ne me suis pas entendu, non, pas du tout ! Il est même inutile de dire à ma femme qu'il est venu ! Enfin, je voulais vous dire ...
15 s'il revient ... Il se peut qu'il revienne ici ... ou au ministère ...

DAUTIER. Je l'éconduirai.

LE BLUMEL. Non, non, je ne dis pas ça. Vous le recevrez, mais à ma place. Vous lui demanderez ce
20 qu'il veut et vous me le direz ensuite ... Mais après ... sans me déranger, vous entendez, sous aucun prétexte. (*Un long silence.*) Ah ! vous aviez raison, tout à l'heure, oui, les amis de jeunesse ! ... (*Après un silence lourd de rêverie, il se met derrière sa table et puis comme faisant un*
25 *grand effort sur lui-même.*) Dites que le ministre reçoit ! ...

La porte s'ouvre toute grande, le domestique introduit le premier des visiteurs.*

RIDEAU

27. *wide*

LA SCINTILLANTE

PIÈCE EN UN ACTE

par

JULES ROMAINS

A
LUIGI PIRANDELLO
cette petite pièce qu'il m'a dit aimer
— J. R.

JULES ROMAINS

Jules Romains is the pen-name of Louis Farigoule, who was born in Saint-Julien-Chapteuil in 1885. One of the most original and powerful writers of our times, he has made himself famous not only as a dramatist, but also as a poet and a novelist whose works have been translated with great success into English and other modern languages. He is probably best known in America for his play, *Knock*, and for his prodigious novel, *Les hommes de bonne volonté*, which is attempting, in the sixteen volumes which have already appeared and in the indefinite number which are projected, to give a complete picture of all parts of French society in the twentieth century.

Jules Romains first became known as the leader of the movement known as *Unanimisme*, which held as its basic theory that any group of human beings develops a kind of unity or spiritual individuality which can be expressed in art. Thus all the people living in one apartment house, for instance, form a kind of single body which Romains tried to express in his novel, *Mort de quelqu'un*, in 1911. Similarly there is a unity in a family group, or in a subway crowd, or in the audience of a theatre. Much of Romains' early poetry published under the title of *La vie unanime*, and his first play, a drama in blank verse called *L'Armée dans la ville* (1911), deal with this theory and try to express this corporate unity. During these first years of his literary activities, Romains had been a student at the École Normale, and for ten years following his graduation in 1909 he was a teacher in the provinces and in Paris. A large part of the character of Jerphanion, student at the École Normale in *Les hommes de bonne volonté*, seems obviously autobiographical. After the war and its demonstration of the gullibility of the mass mind, Jules Romains produced a series of plays which showed how the hoax of an individual could affect the life of a whole social group. *Donogoo-Tonka, ou les miracles de la science*, written in 1919 in the form of a movie scenario, and *Knock, ou La triomphe de la médecine* (1923) both show a magnificent hoax which creates a Unanimistic mind by means of suggestion and propaganda. It is from this period that dates Romains' scientific work, *La vision extra-rétinienne et le sens paroptique* (1920), in which he claims to have proved that a sense of sight exists in humans in other parts of the body than the eye.

La scintillante was first produced in 1924, by Louis Jouvet, one of the greatest actors and directors of modern France, and was revived with great success in 1936. In order to connect this play philosophically with the rest of Romains' work, one critic[1] has claimed that it shows a particular type of "Unanimisme", that unity which is formed by the woman who is the chief character with her business, a unity which is so strict that the young viscount is in love with that unity rather than with the woman herself. In other words, Romains here demonstrates that our *milieu* is an integral part of our being. Whether or not this is the author's real intention, the play is an amusing farce, humorously ironic and dry. Slight as it is, its satire of provincial society and of human types makes it a telling play, and one that is in the best French dramatic tradition.

[1] J. Israël: *Romains, sa vie et son œuvre.*

PERSONNAGES

LA PATRONNE
LE VICOMTE
L'ABBÉ
LE COMTE
M. ESQUIMEL[1]
M. TROMBE

[1] (Esquimel, Trombe and the count's name, de Percepieu, are fantastic names invented to create an effect. *Trombe* means waterspout. *Percepieu* might be rendered by Piercepost.)

LA SCINTILLANTE

A Montmorillon,[1] par exemple.

L'intérieur du magasin des Cycles « La Scintillante ».

A gauche, un alignement de bicyclettes d'hommes pendues à des crochets. Au fond, une petite porte vitrée, des rayons, un comptoir, la caisse. A droite, une rangée de bicyclettes de dames bien astiquées, sur de coquets supports. A droite aussi, en retrait et un peu de biais, la devanture vitrée et la porte. Le tout fort net.

Au lever du rideau, un prêtre d'une cinquantaine d'années, grassouillet, très proprement vêtu, se tient au milieu du magasin, et, le chapeau à la main, contemple les bicyclettes de dames.

SCÈNE PREMIÈRE

L'ABBÉ, LA PATRONNE.

La porte vitrée s'ouvre, au fond. La patronne paraît. C'est une femme de trente-cinq ans, très avenante, coiffée et vêtue à la mode, et discrètement fardée. Le ton de sa voix laisse comprendre qu'elle ne connaît pas le prêtre ou ne le reconnaît pas, et qu'elle est un peu étonnée.

LA PATRONNE. Monsieur l'abbé?

L'ABBÉ. J'ai bien l'honneur de vous saluer,* madame. (*Il regarde autour de lui.*) Comme voilà de jolis vélocipèdes!*

LA PATRONNE. Monsieur l'abbé s'intéresserait à une bicyclette? 5

L'ABBÉ. Peut-être.

[1] A town of about 5,000 inhabitants in the department of Vienne between Poitiers and Limoges.

2. A very formal greeting. The priest's style is in general rather stilted.

4. *What pretty cycles those are!*

LA PATRONNE. Pour vous-même ?

L'ABBÉ. Ce serait pour moi, à la rigueur. Existe-t-il des vélocipèdes pour ecclésiastiques ?

LA PATRONNE. C'est le cycle de dame que nous
5 recommandons dans ce cas.* Vous avez ici de charmants modèles.

L'ABBÉ. Ils doivent coûter fort cher ?

LA PATRONNE. La bonne marchandise garde toujours son prix.* Mais comme nous fabriquons nous-
10 mêmes, nous sommes mieux placés que d'autres pour vendre au plus juste.

L'ABBÉ. Ah ! vous fabriquez vous-même ?

LA PATRONNE. Vous voyez, sur tous nos articles, notre marque « La Scintillante ».

15 L'ABBÉ. Vous avez donc une usine ?

LA PATRONNE. Pas précisément. Mais l'usine exécute pour nous une fabrication spéciale,* sur des dessins que mon mari lui avait fournis. Cette forme de guidon, par exemple, vous ne la trouverez nulle part.

20 L'ABBÉ, *poliment*. En effet.

LA PATRONNE. Et encore, depuis la mort de mon mari, n'ai-je pas continué certains modèles. Nous avions la bicyclette à guidon chauffant, pour l'hiver; et la bicyclette porte-parapluie, pour personnes soigneuses.
25 La clientèle d'ici est assez regardante. Elle préfère s'en tenir aux types courants.

L'ABBÉ. Vous permettez que je m'assoie, madame ?

LA PATRONNE. Je vous en prie, monsieur l'abbé.

L'ABBÉ. Ce doit être une charge bien lourde qu'un

5. French priests always wear long cassocks.
9. *Good merchandise is never sold cheap.*
17. *The factory manufactures our bicycles especially for us.*

tel commerce,* pour une femme seule. Je veux dire: beaucoup de souci et de responsabilité.

LA PATRONNE. Je m'en tire du mieux que je peux.

L'ABBÉ. Notre ville est, Dieu merci, des plus paisibles.* Les dangers matériels n'y sont pas très grands. 5

LA PATRONNE. Les autres non plus, il me semble.

L'ABBÉ. Non. Ils ne le deviendraient que si on refusait tout à fait de les apercevoir.

LA PATRONNE. On jurerait que c'est à mon intention 10 que vous dites cela, monsieur l'abbé. Aurais-je couru, sans m'en douter, quelque péril de ce genre?

L'ABBÉ. Chère madame, j'ai plaisir à penser que vous êtes ma paroissienne, et . . .

LA PATRONNE. Ah! c'est vous, n'est-ce pas, qui 15 êtes curé de Saint-Exupère! Je vous y ai vu plus d'une fois le dimanche, mais je ne vous reconnaissais pas tout d'abord.

L'ABBÉ. Je sais que vous fréquentez les offices, au moins les jours de grande fête. Et peut-être même 20 ai-je failli vous voir au tribunal de la pénitence? *

LA PATRONNE. Je commets si peu de péchés, monsieur le curé.

L'ABBÉ. C'est ce que je me disais. Ce ne serait donc qu'une précaution de plus. Mais le confessionnal a 25 cette commodité qu'on y est amené tout naturellement à donner certains avis qui dans un autre lieu peuvent paraître déplacés.

LA PATRONNE. Bien que je ne devine pas du tout de

1. *Such a business must be a very heavy burden.*
5. *extremely peaceful.* (Note this common construction.)
21. *the bar of repentance;* i.e. *the confessional.*

quoi il s'agit, je suis prête à vous écouter d'aussi bonne grâce qu'à confesse.

L'ABBÉ, *après avoir remercié d'une inclinaison de tête.* Et vous ne devinez réellement pas ?

5 LA PATRONNE. Oh ! pas du tout . . .

L'ABBÉ. En rapprochant vos souvenirs récents, vous ne voyez rien qui puisse motiver la démarche paternelle d'un pasteur préoccupé de la paix des âmes, dans sa paroisse, et de leur harmonie ?

10 LA PATRONNE. Il y a quelque temps, j'ai fait enlever le dépôt des emplâtres « Invictum * » à un concurrent de la basse ville. C'était mon droit. La maison m'avait garanti l'exclusivité.

L'ABBÉ. Oh ! je ne me mêlerais pas d'une telle ques-15 tion. (*Il prend un temps.*) Vous connaissez M. Béchubert, l'horloger ?

LA PATRONNE. Oui.

L'ABBÉ. Avez-vous quelque raison de penser que madame Béchubert puisse nourrir certains griefs à 20 votre égard ?

LA PATRONNE. Madame Béchubert ? Je ne sais même pas si je la connais.

L'ABBÉ. Voilà justement le point. Madame Béchubert préférerait que ce fût elle que vous connussiez.

25 LA PATRONNE. Comment ! M. Béchubert vient m'acheter ici de la dissolution. Quel mal y a-t-il ?

L'ABBÉ. Il vous en achète beaucoup ?

LA PATRONNE. Un petit tube presque chaque jour. Je lui ai conseillé les grands tubes, mais il aime mieux 30 les petits.

L'ABBÉ. Je suis très ignorant en fait de vélocipèdes.

11. A Latin word meaning "unbeaten" used as a trade-mark.

Est-il naturel qu'un seul homme use tant de dissolution que ça ?

LA PATRONNE. Moi je ne suis pas forcée de savoir ce qu'il en fait. Il en a peut-être besoin pour ses montres.

L'ABBÉ. Madame Béchubert prétend avoir trouvé une bonne centaine de tubes, encore tout pleins, dans un des tiroirs de son mari. 5

LA PATRONNE. Il attend peut-être une hausse.

L'ABBÉ. Madame Béchubert affirme que l'autre jour son mari, se croyant seul, baisait avec transport plusieurs de ces tubes. 10

LA PATRONNE. Que voulez-vous que j'y fasse ? Si je tiens boutique, c'est pour vendre. Si vous, monsieur le curé, vous veniez m'acheter une nouvelle bicyclette chaque mois, je n'aurais le droit ni de vous mettre à la porte, ni même de vous prêter de mauvaises intentions. 15

L'ABBÉ. Évidemment. Les intentions de M. Béchubert ne se sont jamais mieux expliquées ?

LA PATRONNE. Il plaisante parfois. Dans le commerce, on est exposé à en entendre d'autres.* 20

L'ABBÉ. Il est certain que si les choses en sont restées là . . .

LA PATRONNE. Mais n'en doutez pas, monsieur le curé. 25

L'ABBÉ. . . . Il est difficile de vous faire à vous, de grands reproches. (*Il toussotte.*) Vous connaissez M. Esquimel ?

LA PATRONNE. Esquimel ?

L'ABBÉ. Le marchand de faïences de la rue des Récollets ? * 30

21. *worse than that* 31. *Street of the Recollect Friars.*

LA PATRONNE. Oui, oui.

L'ABBÉ. Son nom paraissait ne rien vous dire. C'est pourtant un de vos bons clients.

LA PATRONNE. Il ne m'achète que des babioles.

5 L'ABBÉ. Vous le voyez moins souvent que M. Béchubert ?

LA PATRONNE. Un peu moins souvent. Lui s'intéresse aux fantaisies et aux accessoires. Un nouveau type de cale-pieds ou d'arrache-clous, par exemple. Ou

10 un cochon porte-veine, en métal anglais, qui se fixe au milieu du guidon.

L'ABBÉ. A en croire Madame Esquimel, son mari serait * aujourd'hui à la tête d'une collection extraordinairement importante de ces petits objets.

15 LA PATRONNE. Ce n'est pas plus bête que de ramasser les vieux timbres.

L'ABBÉ. Et sous l'oreiller de M. Esquimel, elle aurait découvert précisément un de ces cochons en métal anglais dont vous parliez.

20 LA PATRONNE. Les gens superstitieux ne se séparent jamais d'un porte-bonheur.

L'ABBÉ. De plus, l'humeur de M. Esquimel aurait changé du tout au tout. Il trouve sans cesse à redire. Il querelle sa femme. On croirait qu'il cherche

25 un éclat.

LA PATRONNE. Et c'est moi qu'on en rend responsable ?

L'ABBÉ. Madame Esquimel est convaincue que son mari a pour vous un sentiment très fort.

13. *is.* (The conditional tense is often used to express possibility. The priest here uses it to show that he does not guarantee the truth of the statement. In his next speech translate *aurait découvert* by *says she has discovered,* and treat the following cases in a similar way.)

LA PATRONNE. Rassurez cette pauvre dame. Moi, je n'en ai pas le moindre pour son mari.

L'ABBÉ. Je puis en conscience lui garantir que vous ne faites rien, et ne ferez rien pour alimenter un feu coupable? 5

LA PATRONNE. Oui, en conscience... Mais il faut s'entendre. Si Madame Béchubert ne veut plus que je vende de dissolution, si Madame Esquimel ne veut plus que je vende d'arrache-clous ni de porte-veine, qu'on me demande tout de suite de fermer boutique. 10

L'ABBÉ, *après un geste évasif.* Je voudrais aussi vous dire un mot au sujet de M. Trombe, l'huissier.

LA PATRONNE. Ah! L'huissier, maintenant? On ne prétendra pas pourtant qu'il m'achète trop d'articles, ni qu'il en emplit ses tiroirs! Depuis la chambre à air 15 qu'il m'a prise en décembre dernier, je crois, du diable si j'ai vu la couleur de sa monnaie! *

L'ABBÉ. Peut-être. Mais il passe très souvent devant votre magasin, et s'y arrête.

LA PATRONNE. Oui, pour resserrer un écrou ou gon- 20 fler un pneu. Il lui manque toujours un outil. Pour ce que ça me rapporte! *

L'ABBÉ. Précisément. A le voir ainsi stationner devant la boutique, et user de tant de services gracieux * qu'un simple client n'oserait pas demander, les gens lui 25 supposent une certaine intimité avec la maison.

LA PATRONNE. Alors, il faut aussi que je m'occupe de ce que racontent les gens?

L'ABBÉ. Madame Trombe croit dur comme fer *

17. *banged if I've seen a red cent of his!* 22. *For all the profit that brings me!* 24. *gracieux* here used for *gratuits*, an example of the Abbé's pedantic style. 29. *has a cast-iron belief.*

que son mari est au mieux avec vous. Il aurait plusieurs fois prononcé * votre nom de baptême . . .

LA PATRONNE, *très vivement.* Madame Trombe sait mon prénom ?

5 L'ABBÉ. — Elle s'en est informée — . . . au cours de rêves.

LA PATRONNE, *elle rit.* C'est de la folie.

L'ABBÉ. Notez que le cas de Madame Trombe, pour intéressant qu'il soit, diffère un peu des précédents. Il
10 s'agit d'un ménage depuis longtemps troublé. Et Madame Trombe ne se dissimule pas que les assiduités de son mari ne s'écarteraient d'ici que pour se porter ailleurs.

LA PATRONNE. Je vois que c'est une femme qui sait
15 se faire une raison. Malheureusement, il faudra qu'elle continue ses recherches dans les noms de baptême.

L'ABBÉ, *déçu.* Il n'y a vraiment rien, non plus, de ce côté ?

LA PATRONNE. Par quel saint voulez-vous que je le
20 jure ?

L'ABBÉ, *l'arrêtant du geste.* Je ne puis que m'en réjouir (*il toussotte*) sans toutefois que la situation s'en trouve réellement simplifiée. (*Il hésite.*) J'avais plusieurs autres noms à vous citer encore . . .

25 LA PATRONNE. Quoi ! Des noms de messieurs ?

L'ABBÉ. Oui, de messieurs et de dames.

LA PATRONNE. Pour le même motif ?

L'ABBÉ. Il s'agit, en effet, dans chaque cas, d'épouses chrétiennes, qui s'imaginent, à tort ou à raison, que
30 leur mari se détourne de ses devoirs à cause de vous. Rue de la République, rue du Puits, rue Maugé, rue

2. *It appears that he has several times pronounced . . .* (See note p. 56.)

Saint-Exupère. Je vous dis que nous ferions le tour de la paroisse. (*Il l'examine.*) Mais je me demande s'il vaut la peine que nous les passions en revue?

LA PATRONNE. Vous vous doutez bien, monsieur le curé, que je n'aimerais pas subir tous les jours, même de vous, un interrogatoire de ce genre-là. Mais puisque vous vous êtes dérangé, je veux que vous repartiez le cœur tranquille. La rue Saint-Exupère, ni la rue Maugé n'ont rien à craindre, non plus qu'aucune autre. Je n'ai encore pris le mari de personne. Et comme mon humeur ne se plaint de rien,* je n'ai pas l'intention de changer de conduite.

L'ABBÉ. Merci, mon enfant, merci.

LA PATRONNE. Entre nous, toutes vos dames sont un peu folles.

L'ABBÉ. Peut-être. Mais les messieurs aussi, croyez-moi.

LA PATRONNE. Je ne les trouve pas bien terribles.

L'ABBÉ. Vous avez tourné la tête à plus d'un. Presque malgré vous, je vous l'accorde. (*Il l'examine.*) Je reconnais que votre mise n'est pas plus provocante que ne le veut le goût du jour. (*Il regarde autour de lui.*) Il y a aussi votre magasin, votre commerce, dont on ne peut nier que les dehors ne soient flatteurs. Si vous étiez bouchère ou fruitière, par exemple, vous n'échapperiez sans doute pas à certains hommages inférieurs: mais vous ne risqueriez pas de jeter le trouble dans des milieux plus relevés. Jusqu'à cette inscription que j'ai lue sur votre vitrine: « Fournisseur de S. M.* la reine d'Angleterre ».

11. *is perfectly satisfied.*
30. *Sa Majesté.*

LA PATRONNE. Oh ! jadis, quand mon beau-père tenait la maison, la reine Victoria,* qui allait dans le Midi, a voulu visiter la cathédrale. Elle a traversé la ville dans une voiture de louage. Juste comme elle 5 passait ici, le grelot d'un cheval est tombé. Le cocher, qui tenait à son grelot, a demandé à mon beau-père un bout de fil de laiton et ils ont rattaché le grelot ensemble. La reine a donné une pièce de dix shellings, que nous avons conservée. Voilà.

10 L'ABBÉ, *après un geste de la main.* Bref, le sort a mis entre vos mains diverses séductions qui sont un péril pour un trop grand nombre de foyers. Vous me dites n'avoir exaucé aucun des désirs coupables qui s'adressent à vous. Tant mieux, certes, tant mieux ! Mais je 15 ne m'en sens pas rassuré autant qu'il conviendrait. (*Il prend un temps.*) Car le plus grave, hélas ! me reste à dire !

LA PATRONNE. Encore à mon sujet, grands dieux !

L'ABBÉ. Oui. Nous avons parlé de la rue Maugé 20 et de la rue Saint-Exupère. Si au moins le mal s'était arrêté là ! Mais c'est qu'il a gagné beaucoup plus loin, et beaucoup plus haut. Jusqu'au château, chère madame.

LA PATRONNE. Comment, jusqu'au château ?

L'ABBÉ. Nous approchons ici d'un véritable dé- 25 sastre. Le vicomte Calixte est tombé amoureux de vous. (*Elle fait un mouvement.*) Mais attendez le pire: il affirme qu'il vous épousera.

LA PATRONNE. Allez, allez, ceci est intéressant.

L'ABBÉ. Le comte et la comtesse ont tout essayé. 30 J'ai été mandé à la rescousse. Le pauvre garçon nous envoie tous promener l'un après l'autre. Il faut dire

2. Queen of England, 1837–1901.

à sa décharge que le cœur a chez lui plus de force que le jugement.

LA PATRONNE. Il est jeune?

L'ABBÉ. Vingt-trois ans. Donc majeur. Vous voyez le péril. Bref, nous avons pensé qu'il n'y avait plus de temps à perdre. 5

LA PATRONNE. Ah! voilà.

Elle réfléchit assez longuement en regardant le prêtre, puis éclate de rire.

L'ABBÉ. Je n'ai certes pas besoin de vous montrer ce que l'idée d'une pareille union a d'inconvenant et d'absurde*: la différence de condition, qui est énorme à tous points de vue — ces gens-là, malgré quelques pertes, ont encore une très grosse fortune — même la différence d'âge . . . 10 15

LA PATRONNE, *assez sérieuse.* Monsieur le curé, vous n'êtes pas poli.

L'ABBÉ. Ce serait le malheur assuré, à bref délai, pour l'un et pour l'autre; et le désespoir pour une famille qui ne le mérite aucunement. En un mot, la question ne se pose pas.* 20

LA PATRONNE, *s'animant peu à peu.* Pardon, monsieur le curé, elle se pose. Elle se pose même ainsi: le vicomte Calixte, quand il me sera présenté, me plaira-t-il? Ne parlons pas, je vous prie, de la différence d'âge. J'aperçois la différence de condition que vous me faites valoir; elle ne m'effraye pas. Je suis à la tête d'une industrie prospère qui ne demande qu'à se développer. Je possède, à moi seule,* une firme déjà ancienne, qui — 25

12. *how improper and absurd the idea of such a union is.*
21. *the question cannot even arise.*
29. *as the sole owner, all by myself.*

vous l'avez rappelé vous-même — a été honorée, une fois au moins, de la confiance d'un souverain étranger. Mon Dieu, qu'un vicomte s'allie à une maison de cycles, quoi d'extraordinaire ? Il y a bien un marquis qui fait
5 des automobiles. Mais remarquez que je ne suis pas entichée de mon industrie, et je la liquiderais volontiers si mon mari ou sa famille l'exigeaient. Je me vois très bien passant l'hiver à Florence, ou à Venise, et l'été dans les fjords. Vous oubliez, monsieur le curé, que j'ai fait
10 toutes mes études secondaires.* Je lis Albert Samain.* Je suis même une des abeilles les plus en vue.

L'ABBÉ. Plaît-il ?

LA PATRONNE, *devenue très volubile.* Vous ne connaissez pas la Ruche, monsieur le curé ?

15 L'ABBÉ. Non.

LA PATRONNE. C'est une correspondance entre femmes * qui paraît dans un grand journal de modes. Mes envois sont très appréciés. Je signe: *Étoile du soir.* Il y a d'ailleurs un rapport très visible entre mon pseu-
20 donyme et la marque de ma maison. Tenez ! je pourrais même soumettre le cas aux abeilles: « un vicomte m'aime, et ceci, et cela * . . . » J'aurais au moins cent cinquante réponses.

L'ABBÉ. Vous ne m'avez pas laissé terminer, chère
25 madame. J'allais vous dire que les objections par lesquelles j'ai commencé n'étaient pas les plus graves. Je doute que le jeune Calixte puisse vous plaire le moins du monde. La nature ne l'a favorisé à aucun point de

10. *I have gone through secondary school.*

10. Albert Samain, 1859–1900, was a symbolist poet, less obscure and easier to understand than many of that school.

17. *a women's correspondence column* (in a newspaper).

22. *and so on, and so forth.*

vue. Il n'a pas d'esprit. Physiquement, c'est un grand dadais.

LA PATRONNE. Mais comment m'a-t-il connue?

L'ABBÉ. Voilà ce qu'il a refusé de nous dire.

LA PATRONNE. Je ne vois pas qui ce peut être. (*Elle* 5 *réfléchit.*) Il y a bien ce jeune homme au chatterton . . . Mais non . . .

L'ABBÉ. A qui pensiez-vous?

LA PATRONNE. A un jeune homme que je ne connais pas autrement, et qui, tous les jours que Dieu fait,* 10 vient m'acheter un rouleau de chatterton. J'ai même oublié la couleur de sa voix,* car il ne dit pas un mot, et comme je sais ce qu'il veut, je lui donne son rouleau sans qu'il ait besoin de parler.

L'ABBÉ. C'est assez cela.* 15

LA PATRONNE. Non. Ce n'est pas possible. D'ailleurs vous auriez trouvé là-haut du chatterton en grande quantité. (*Elle prend un rouleau sur un rayon.*) Vous voyez que cela tient encore de la place. (*Elle soulève le papier qui enveloppe le rouleau et l'approche du nez* 20 *du prêtre.*) Et puis il y a l'odeur. (*Elle remet le rouleau sur le rayon.*) Enfin, quand me le montrez-vous, votre vicomte?

L'ABBÉ, *après un instant d'embarras.* Écoutez, chère madame, ce que vous avez dit tantôt me remet en mé- 25 moire une solution que certains des intéressés avaient envisagée. Vous vous passeriez, au besoin, d'exercer votre commerce et vous n'avez pas d'attachement spécial pour cette ville. En d'autres termes, vous céderiez

10. *every blessed day.*
12. *I've even forgotten what his voice sounds like* (Cf. p. 57, l. 17).
15. *That sounds like him.*

sans peine votre maison pour mener ailleurs une vie plus conforme à vos goûts? Mais précisément plusieurs des personnes dont je traduisais les inquiétudes, s'associeraient volontiers pour racheter votre fonds de 5 commerce, à un prix raisonnable, s'entend.

LA PATRONNE. A condition qu'on ne me voie plus? (*Elle rit. L'abbé acquiesce du geste.*) La rue Maugé et la rue Saint-Exupère sont de la combinaison et c'est le château qui s'inscrit pour la plus forte somme? (*Elle* 10 *rit.*) Il faut donc, monsieur le curé, que, de toute manière, le comte de Percepieu fasse ma connaissance et que nous causions ensemble. Qu'il se présente à moi comme futur beau-père, ou comme chef du syndicat des acheteurs, nous n'échapperons pas l'un à l'autre.*

15 L'ABBÉ, *se levant.* Dois-je prendre et transmettre ceci comme une invitation sérieuse?

LA PATRONNE. Sérieuse et urgente, monsieur le curé.

L'ABBÉ, *après avoir réfléchi.* Je ne serai donc pas 20 importun si je reviens tout à l'heure avec monsieur le comte ... ne fût-ce que pour les présentations?*

LA PATRONNE. Vous serez les bienvenus. Je ne quitte pas le magasin.

L'abbé se retire avec beaucoup de cérémonie. Pour 25 *un peu, il saluerait * les deux rangées de cycles. La patronne, la porte refermée et par un geste qu'on lui sent très habituel, sort d'un petit sac posé sur la caisse divers accessoires de toilette: poudre, rouge, noir, etc. . . . , et devant un miroir,*

14. *we won't let each other get away without talking.*
21. *even if it were only to introduce you to each other.*
25. *He looks as if he were going to bow to, he nearly bows to . . .*

accroché au montant d'un casier, se rajuste le visage et la coiffure en un tour de main. A ce moment, quelqu'un entre.

SCÈNE II

LA PATRONNE, M. ESQUIMEL

M. Esquimel est un homme puissant et lourd, dont les yeux deviennent parfois terribles.

M. ESQUIMEL, *dissimulant un trouble profond.* Bonjour, madame. 5

LA PATRONNE, *fort distraite.* Bonjour, monsieur.

M. ESQUIMEL, *d'une voix très grave et très pathétique.* Combien vaut le cochon en nickel que je vois à la devanture?

LA PATRONNE. Mais ce n'est pas un cochon en nickel, 10 c'est un cochon en métal anglais. C'est exactement celui que je vous ai vendu l'autre jour.

M. ESQUIMEL, *même ton.* Je croyais qu'il était en nickel. (*Il soupire profondément. Silence.*) M. le curé de Saint-Exupère sort d'ici?* 15

LA PATRONNE. Oui, il a l'intention d'acheter une bicyclette.

Silence. La patronne va et vient, faisant de menus rangements dans sa boutique sans s'occuper de M. Esquimel. 20

M. ESQUIMEL, *à lui-même, d'une voix coléreuse.* A genoux! A genoux!

LA PATRONNE, *sans se retourner.* Plaît-il? (*M. Esquimel tombe à genoux. Au bruit, elle se retourne.*) Qu'est-ce qui vous prend? 25

15. *has just left here?*

M. ESQUIMEL, *haletant.* Je vous en prie ! Fuyons ! Fuyez avec moi ! La vie que je mène ne peut plus durer !

LA PATRONNE. Monsieur, je ne puis pas permettre
5 que des clients prennent des positions pareilles dans mon magasin. Relevez-vous !

M. ESQUIMEL, *il fait un geste comme pour dire: attendez. Il fouille fébrilement dans la poche intérieure de son veston, tire un papier, commence à lire.* « Toi qui es le sang en
10 fleur de ma vie, toi dont mon cœur pantèle et se crispe,

Ah ! fuyons, accrochés aux flancs de l'hippogriffe de l'Apocalypse ! . . . » (*Sa voix s'étrangle.*) Non . . . Je ne puis plus . . . (*Il lui tend le papier.*) Lisez vous-même.

15 LA PATRONNE, *avant de prendre le papier.* Relevez-vous ! (*Il obéit. Elle jette un coup d'œil sur le papier, puis le lui rend. Avec froideur.*) Ce sont des vers libres,* monsieur. Je crois vous avoir dit que j'aime la poésie moderne, mais que je ne lis pas de vers libres . . .

20 M. ESQUIMEL. Mais . . .

LA PATRONNE. Vos vers sont à votre image. Il n'y a en vous que trouble et désordre. Tout ce que vous pouvez faire ou dire est déplacé ici. Vos postures sont scandaleuses, vos propositions, folles. Une personne
25 que je plains, en ce moment, c'est votre femme. D'ailleurs la vraie passion s'accompagne de crainte et de respect. Croyez-vous que le premier venu, parce qu'il se fournit chez moi de fantaisies et d'accessoires, a le droit de se livrer au milieu de mon magasin à des mimiques

17. Keep the same term in translating. *Vers libres,* as used by the symbolist poets, meant verses freed from all the traditional rules of versification.

qui, si elles étaient vues du dehors, me feraient passer pour je ne sais quoi? Voici précisément quelqu'un qui s'arrête devant la vitrine et qui nous observe. Me prenez-vous pour une femme qu'on ne risque pas de compromettre? (*Le poussant vers la porte qu'elle ouvre.*) 5
Allez monsieur. Retournez à vos porcelaines.

Il sort. La patronne referme la porte, jette un regard sur le quidam arrêté devant la boutique, revient vers la caisse, consulte discrètement le miroir.

SCÈNE III

LA PATRONNE, LE VICOMTE CALIXTE.

Il entre timidement. Il a l'aspect d'un jeune employé à qui ses parents laisseraient[1] tout ce qu'il gagne pour s'habiller.

LA PATRONNE, *à part.* Ça ne doit pas être lui. Enfin, 10
il faudra qu'il parle.

Elle prend un air d'attente digne et d'interrogation courtoise. Lui se tait, espérant l'apparition automatique du rouleau de chatterton.

LA PATRONNE, *au bout de quelque temps.* Monsieur? 15

LE VICOMTE, *très troublé.* Un ouau d'chatterton * . . .

Il ravale.

LA PATRONNE, *renchérissant sur la distinction naturelle de ses attitudes et de son langage et tout à fait en femme du monde qui offre le thé.* Un rouleau de chatterton, 20
n'est-ce pas, monsieur? Si je me souviens bien, vous préférez la taille moyenne. (*Elle met un rouleau de*

[1] *who looks as if his parents let him have* (Cf. p. 56, l. 13).

16. The viscount is so nervous he cannot say "*Un rouleau de chatterton.*"

chatterton sur le comptoir.) Êtes-vous satisfait de la qualité de ce chatterton ?

LE VICOMTE. Oui, madame.

LA PATRONNE. Est-ce qu'il n'aurait pas tendance à
5 sécher un peu vite et à devenir cassant ?

LE VICOMTE, *la voix un peu rauque, traversée par moments d'une sorte d'accent populaire.* Je ne sais pas, madame.

LA PATRONNE. Si je me permets de vous poser cette
10 question, c'est que je suis sur le point de renouveler mon stock et que j'hésite à passer la commande à mon fournisseur habituel. Auparavant, je voudrais recueillir quelques avis, en particulier votre avis à vous, qui êtes un de mes bons clients pour le chatterton.
15 (*Elle attend une réponse.*) Mais il est bien certain que l'appréciation diffère un peu suivant l'usage qu'on fait de l'article. Comment l'employez-vous ?

LE VICOMTE. Je . . . je . . . j'en conserve beaucoup, madame.

20 LA PATRONNE. Ah, oui ? Au fond, vous avez raison, car les prix ne feront que monter.

LE VICOMTE, *d'un air de vif intérêt.* Ah ? . . . ah ? . . .

LA PATRONNE. Mais justement vous êtes très bien placé pour juger de ses qualités de conservation. Vous
25 n'avez rien remarqué ?

LE VICOMTE. Non, rien.

LA PATRONNE. Où le tenez-vous ?

LE VICOMTE, *après une hésitation.* Sous mon lit, dans une malle.

30 LA PATRONNE. Il y a aussi l'endroit où on habite qui a son importance, selon l'exposition, l'humidité des lieux . . . Vous demeurez de quel côté de la ville ?

LE VICOMTE. En haut, au château.

LA PATRONNE. Ah? Très bien. Vous appartenez peut-être à la famille du comte de Percepieu?

LE VICOMTE. C'est moi son fils.

LA PATRONNE. Le vicomte Calixte? 5

LE VICOMTE. Oui, madame.

Un silence.

LA PATRONNE. Est-ce que ce n'est pas vous qui vous êtes marié récemment?

LE VICOMTE. Non, madame, c'est ma sœur. Moi! . . 10

Il secoue la tête.

LA PATRONNE. Vous? . . .

LE VICOMTE. Moi, ça n'ira pas tout seul.*

LA PATRONNE. Vous avez un dissentiment avec votre famille? 15

LE VICOMTE, *avec élan.* Un peu!* Et le plus fort, c'est que c'est à cause de vous.

Il paraît soudain soulagé d'un immense fardeau.

LA PATRONNE. A cause de moi? Que voulez-vous dire? 20

LE VICOMTE. Oui, à cause de vous. J'ai dit à mes parents que je voulais me marier avec vous. Ah! là! là!

LA PATRONNE. Mais . . . c'est sérieux?

LE VICOMTE. Bien sûr que c'est sérieux! 25

LA PATRONNE, *comme au théâtre.* Vous m'aimez donc?

LE VICOMTE. Oui, madame.

Silence.

LE VICOMTE. C'est pour l'argent que j'ai besoin de mes parents. Sans ça, je suis majeur. 30

13. *In my case, it won't be plain sailing.*
16. *Rather!*

LA PATRONNE. Pourquoi ne m'en avez-vous jamais parlé ?

LE VICOMTE. C'est la conversation qui ne s'y est pas prêtée. (*Il réfléchit.*) Mais . . . est-ce que ça vous
5 plairait, à vous ?

LA PATRONNE, *précieusement.* Il me faut le loisir de m'interroger . . . et de vous connaître un peu mieux. (*Un temps.*) Si vos parents persistent dans leur refus, vous êtes décidé à passer outre ?

10 LE VICOMTE. Oui, madame.

Silence.

LA PATRONNE, *assez vivement.* Et vous avez des projets d'avenir ?

LE VICOMTE. *Il la regarde, puis il regarde autour de lui.*
15 Je crois qu'on pourrait d'abord faire agrandir le magasin.

LA PATRONNE, *dominant sa surprise.* Vous dites . . . vraiment ?

LE VICOMTE. Oh ! je n'y tiens pas plus que ça.* Je trouve la boutique très jolie comme elle est. Je n'ai
20 même pas vu souvent une boutique aussi jolie.

LA PATRONNE. Mais . . . je parle de projets pour plus tard . . . pour le cas où les choses s'arrangeraient avec vos parents et où, de mon côté, les objections que je puis avoir, et que je n'ai pas encore examinées, ne me
25 paraîtraient pas insurmontables.

LE VICOMTE. Oui ! pour quand nous serions mariés !

LA PATRONNE. Dans votre idée, nous conserverions cette affaire ?

LE VICOMTE. Oui, madame.

30 LA PATRONNE. Oh ! la maison est de premier ordre,

18. He makes a gesture, such as biting his thumb-nail or snapping his fingers.

évidemment; et de toute façon, il ne faudrait s'en débarrasser qu'à très bon prix ... mais ce ne serait pas pour l'exploiter nous-mêmes?

LE VICOMTE. *Il ouvre les yeux et réfléchit.* Alors, nous, qu'est-ce que nous ferions? 5

LA PATRONNE. Quand on a certaines aspirations, et certains moyens, il n'est pas difficile de se ménager une vie intéressante. Les villes d'art,* les grands voyages, les distractions dans les casinos, l'Opéra ...

LE VICOMTE, *très froidement.* Oui. 10

LA PATRONNE. Moi, j'adore la musique. Et puis les grands dîners littéraires, les discussions dans les salons, sur des sujets ... ou bien la chasse à courre ... oui, vous préférez peut-être les sports violents, le football, le ...

LE VICOMTE. Non, je ne suis pas fort des bras. 15

LA PATRONNE. En somme, rien de tout cela ne vous tente beaucoup.

LE VICOMTE. Non. D'abord, je me plais dans le pays.

LA PATRONNE. Et vous vous sentez attiré par l'industrie ou le commerce? 20

LE VICOMTE. Plutôt le commerce.

LA PATRONNE. Tiens ... oui ... il y a peut-être là une certaine lassitude de la vie oisive. Vous auriez envie de vous rendre utile.

LE VICOMTE. Oh! non! 25

LA PATRONNE. Alors, je ne vois pas bien ...

LE VICOMTE. Ça doit être agréable de revendre avec bénéfice.

Ses yeux s'illuminent.

LA PATRONNE, *après un temps.* Je comprendrais si vous aviez besoin d'argent ... 30

8. *Artistic centers.*

LE VICOMTE. Ce n'est pas tant pour l'argent.

LA PATRONNE. Un employé peut gérer la maison. Nous aurions tout de même notre bénéfice.

LE VICOMTE. Oui, mais alors c'est l'employé qui a le 5 plaisir.

Elle reste un peu décontenancée.

LA PATRONNE. J'en arrive à me poser une question, monsieur.

Elle attend.

10 LE VICOMTE. Quelle question? madame.

LA PATRONNE, *avec mélancolie.* Je me demande si je ne me suis pas un peu méprise sur vos sentiments au début. Je pensais que vous m'aimiez surtout pour moi. Et, mon Dieu, vous auriez même dû vaincre certains 15 préjugés pour faire droit à cet amour, que j'y aurais vu plutôt un hommage qu'une offense.* Je me serais dit: « Il me devine, il sait quel être * je suis, ce que je vaux. Le reste lui importe peu. » (*Elle soupire.*) Nous voilà loin de compte. J'ai été trop romanesque. Si je n'étais 20 pas le chef de la maison des cycles *La Scintillante*, m'aimeriez-vous?

LE VICOMTE. Ça m'ennuie.

LA PATRONNE. Qu'est-ce qui vous ennuie?

LE VICOMTE. Que vous vous demandiez ça.

25 LA PATRONNE. Et pourquoi, monsieur?

LE VICOMTE. Parce qu'alors il faut que je me le demande, moi aussi. Et je ne sais pas, moi.

Il contemple tour à tour les cycles et la patronne.

16. *If you had even had to conquer certain prejudices in order to allow that love, I should have considered that more of a compliment than an affront.* (Note this form of the conditional sentence.)

17. *He sees through mere appearances, he knows what kind of a person I am.*

LA PATRONNE. Vraiment !

LE VICOMTE. Mais est-ce qu'on ne peut pas se passer de savoir ça ?

LA PATRONNE, *d'assez haut.** Oh ! à la rigueur . . .

LE VICOMTE. Oui. Et puis non ! N'est-ce pas madame, on doit toujours pouvoir s'expliquer ses sentiments. Sans ça, on est un homme vaseux. (*Il prononce ce dernier mot avec une grande force. Elle éclate de rire.**) Est-ce que vous étiez déjà ici, il y a dix ans ?

LA PATRONNE. Moi-même ? Non, monsieur.

LE VICOMTE, *avec une sincérité profonde et anxieuse.* Je me demande si, il y a dix ans, je m'arrêtais déjà devant la boutique.

Il médite.

LA PATRONNE. Et maintenant, si une autre femme était à ma place ?

LE VICOMTE. Voilà ! voilà ! Encore une question terrible !

LA PATRONNE. Votre cœur ne vous dicte aucune réponse ?

LE VICOMTE, *haussant les épaules.* Il me dicte des tas de réponses ! Les gens ne comprennent pas qu'on hésite. Quand on leur pose, à eux, des questions pareilles, ils vous ont déjà répondu que vous n'avez pas encore fermé la bouche.* Je suis aussi malin qu'eux. L'autre fois, le curé de Saint-Exupère me demandait, toujours à propos de vous : « Si vos ancêtres étaient témoins de votre conduite, qu'est-ce qu'ils penseraient,

4. *rather superciliously.*

9. The *patronne* laughs at the force with which the Viscount pronounces a word meaning "weak," "weak-willed." He has probably heard this word applied to himself by his family.

25. *they have already replied to you before you have closed your mouth.*

vos ancêtres ? » Eh bien ! j'ai des tas d'ancêtres. Pourquoi voulez-vous qu'ils répondent tous la même chose ?

Il a fini sur un ton véhément.

LA PATRONNE. Allons, ne vous tourmentez plus. 5 Vous êtes un brave garçon.

LE VICOMTE. Est-ce que vous croyez que les gens me mépriseraient s'ils me voyaient dans la boutique ? . . . en train de vendre ?

LA PATRONNE. Non . . . ils ne vous mépriseraient pas. 10 Ils seraient assez étonnés au début.

LE VICOMTE. J'ai toujours été très bien avec tout le monde, dans la ville. Mes parents ont l'air de s'imaginer que je ne me rends pas compte de ma position. J'y ai pensé bien plus souvent qu'eux. Tenez, ma sœur, 15 en voilà une qui * ne se rend pas compte. Sauf pour aller à la messe, elle ne voulait pas mettre les pieds en ville. Et parce qu'elle a épousé quelqu'un qui habite dans un autre château à cinq cents kilomètres d'ici, elle se figure qu'elle m'a donné une leçon. (*Un temps.*) 20 Mais attendez une révolution, et vous verrez.

LA PATRONNE, *vivement.* Pourquoi allez-vous * penser à des choses pareilles ?

LE VICOMTE. Oh ! moi, je sais bien que je m'en tirerai. (*Il cligne de l'œil.*) Je voulais vous dire aussi . . . quand 25 nous serons mariés, il ne faudra plus que des types viennent vous faire la cour.

LA PATRONNE. Quelle est cette allusion, monsieur ?

LE VICOMTE. Oui, je les connais. Je ne les connais peut-être pas tous.

30 LA PATRONNE. J'ai toujours su me faire respecter, monsieur. A ce moment-là, ce me serait encore plus

15. *Look, take my sister, there's a person who . . .*
21. *Why in the world do you go and think . . .*

facile. (*Un temps.*) Mais, monsieur, vous ne m'avez pas laissé ignorer vos goûts, ni vos points de vue. Il faut, de mon côté, que je sois très franche. Si la passion des affaires vous retient ici plus assidûment que je ne souhaiterais, vous opposerez-vous à ce que je fasse, de 5 temps en temps, un voyage à Paris, ou un séjour dans une ville comme Nice ou Florence? (*Un silence. Le vicomte hésite à répondre.*) C'est une question capitale à mes yeux. Je ne puis pas me condamner à me passer éternellement des musées, des sensations d'art . . . 10

LE VICOMTE. Eh bien, oui! Ce sera comme vous voudrez. (*Il sourit. La tension d'esprit qu'il vient de se donner paraît se dissiper peu à peu. Il s'approche des cycles. Il les examine, les caresse.*) Dites, madame, vous me mettrez au courant? 15

LA PATRONNE. Certes.

LE VICOMTE. On a beau avoir réfléchi,* on ne peut pas tout deviner. (*Il cligne de l'œil.*) Il doit y avoir des détails extraordinaires. (*Il baisse la voix.*) Vous ne voudriez pas me dire une chose? Comment fait-on 20 pour les lettres?*

LA PATRONNE. Quelles lettres?

LE VICOMTE. *Il avise un timbre de bicyclette posé sur un rayon, va le prendre, le retourne et d'une voix toujours confidentielle, désignant l'étiquette collée sous l'objet.* 25 Vous voyez, il y a ici « p, e, z ». Je sais bien que c'est le prix. Mais comment fait-on pour lire?

LA PATRONNE. La première et la dernière lettre ne comptent pas. A la place du p et du z on aurait pu mettre n'importe quoi. 30

17. *No matter how much you have thought about it.*
21. *What's the system for the letters?*

LE VICOMTE. Ah ! ah ! c'est pour dérouter ! Ah ! ah !

Il rit avec jubilation.

LA PATRONNE. « c », c'est la cinquième lettre de l'alphabet. Ça fait cinq francs. (*Elle prend sur un* 5 *rayon une clef anglaise.*) Tenez, « h, a, c, k ». C'est a c qui compte; 1 et 3. Treize francs.

LE VICOMTE. Mais les centimes ?

LA PATRONNE. Les centimes, c'est par-dessus le marché.* En vendant à ce prix-là, vous êtes sûr, déjà, 10 de vous y retrouver. Alors, vous dites les centimes qui vous viennent à l'esprit.

LE VICOMTE. Oh ! ça, c'est bien ! ça, c'est bien ! (*Il rit.*) Et c'est là qu'il s'agit d'avoir l'œil. C'est bien. Pour sûr que c'est bien ! (*Il prend la clef anglaise.*) 15 On pourrait même commencer à dire le prix « treize francs . . . » et puis regarder vite le client, et alors ajouter « . . . 95 » ou « . . . 25 », ou (*avec un demi-soupir*) « . . . tout juste », si on voyait qu'il y a du danger.

LA PATRONNE, *riant.* Mais vous avez des disposi- 20 tions admirables !

Il sourit et la regarde amoureusement. Elle tourne la tête du côté de la rue, aperçoit un monsieur qui vient de s'arrêter devant la boutique avec une bicyclette. Elle fronce les sourcils.

25 LA PATRONNE, *au vicomte, d'un ton ennuyé.* Voilà cet imbécile d'huissier qui va encore entrer pour me demander un service. Il a un pneu à plat, soi-disant. Vous le connaissez ?

LE VICOMTE. *Il regarde.* Celui-là ? Non. (*Il* 30 *réfléchit.*) Il vous fait la cour ?

LA PATRONNE. Ce n'est pas cela. Mais il m'em-

9. *The centimes, why they don't count.*

prunte toujours des outils pour s'épargner de les acheter. Quand il aura fini sa comédie devant la porte, il entrera, et il faudra que je lui prête une pompe.

LE VICOMTE, *avec une joie suppliante dans les yeux.* Vous ne voudriez pas que je lui en vende une? 5

LA PATRONNE, *éclatant de rire.* Si! si! Tant que vous voudrez! Ce sera le plus beau début que vous puissiez faire. Et n'oubliez pas les centimes! (*M. Trombe ouvre la porte. Tandis qu'il pénètre dans la boutique, la patronne ajoute vivement:*) Toutes les pompes sont dans 10 ce grand tiroir-ci: les plus chères au fond.

Elle va s'installer très dignement à la caisse.

SCÈNE IV

Les Mêmes, M. TROMBE.

M. Trombe, un peu chauve, a l'œil et la lèvre tout fleuris de pensées galantes.[1]

M. TROMBE. Bonjour, chère madame. (*Il aperçoit alors le vicomte debout derrière le comptoir. Ce qui le glace un peu. M. Trombe connaît peut-être vaguement 15 de vue le vicomte, mais n'oserait jamais le reconnaître dans ce personnage.*) Je suis dégonflé à l'arrière. Auriez-vous l'extrême amabilité de me prêter la pompe... pour une petite minute seulement?

LA PATRONNE, *d'un ton de politesse froide et imper- 20 sonnelle.* La pompe que je mettais à la disposition des clients s'est brisée hier au soir. Le plus simple pour vous serait d'en acheter une. Je viens de recevoir de

[1] *with gallant thoughts shining in his eyes and hanging on his lips.*

très jolis modèles. (*Au vicomte avec une autorité irré-sistible.*) Faites choisir une pompe à Monsieur.*

M. Trombe, dominé, s'approche du comptoir. Le vicomte fouille passionnément dans le tiroir aux
5 *pompes. La patronne affecte de s'abstraire de la scène.*

LE VICOMTE, *cependant qu'il déchiffre les étiquettes avec une application visible, et pour gagner du temps.* Solide, n'est-ce pas?

10 M. TROMBE, *assez ennuyé.* Oui, je préférerais.

LE VICOMTE, *avec une fermeté croissante.* Un article sérieux?

M. TROMBE. Oui, c'est cela.

LE VICOMTE. Quelque chose qui ne vous reste pas la
15 première fois dans la main?

M. TROMBE. Évidemment.

LE VICOMTE, *qui a terminé sa recherche, brandit au nez de Trombe une pompe magnifique.* Alors, vous n'avez pas le choix. Voilà ce qu'il vous faut.

20 M. TROMBE, *contraint.* Oui, ça n'a pas l'air mal.

LE VICOMTE. Ne dites pas que ça n'a pas l'air mal, dites que c'est tout ce qu'il y a de mieux.*

M. TROMBE. Et le prix?

LE VICOMTE. Trente-deux francs . . . (*après un coup*
25 *d'œil sur Trombe*) dix . . .

M. TROMBE. Oh! je ne comptais pas y mettre si cher!*

LA PATRONNE. *Elle fait un signe au vicomte qui s'approche d'elle. Bas.* Mais vous devez vous tromper.

2. *Show the gentleman a pump.*
22. *it's the very best there is.*
27. *to lay out so much for it.*

Nous n'avons pas de pompes de cadre qui atteignent ces prix-là. Montrez-moi l'étiquette.

LE VICOMTE, *bas*. Je la sais par cœur: « f b c j ».

LA PATRONNE. Eh bien! « b c »: 23 francs. Vous avez retourné les chiffres. 5

LE VICOMTE. Justement . . . j'avais peur de confondre.

Il revient en hâte auprès de Trombe qui manie l'objet avec embarras.

M. TROMBE. Alors, c'est bien le prix? 10

LE VICOMTE. Oui, trente-deux francs dix. Mais on vous la laisse * à trente-deux francs. (*Il annonce à la caisse:*) Trente-deux francs! (*et enveloppe la pompe avec une promptitude décisive.*)

LA PATRONNE, *à Trombe, de sa voix la plus charmante* 15 *et en se retenant de rire.* Aurez-vous la monnaie,* monsieur?

Trombe reçoit la pompe empaquetée des mains du vicomte, tire son argent et le pose sur la caisse. Puis il bredouille un salut et sort tout à fait con- 20 *sterné.*

SCÈNE V

LA PATRONNE, LE VICOMTE.

Le vicomte est en proie à un rire profond, régulier, presque silencieux, exempt de toute trace d'ironie, fait de jubilation pure.

LA PATRONNE, *qui rit aussi.* Pauvre huissier! Savez-vous que vous êtes effrayant. (*Le vicomte enlève son veston.*) Que faites-vous?

12. *we'll let you have it.*
16. *Do you have the change, perhaps?* (Note this use of the future tense to indicate possibility.)

LE VICOMTE, *qui est redevenu calme.* Je serai plus à l'aise.

Il entreprend de ranger ses pompes.

LA PATRONNE. Si vous craignez de vous salir, je
5 crois qu'il y a une blouse derrière la porte.

LE VICOMTE. Ah oui !

Il va chercher la blouse, l'endosse avec un plaisir visible et revient se placer debout derrière le comptoir, fier comme un juge. Puis il pense à ses
10 *pompes. Là-dessus, la porte extérieure s'ouvre. Le curé de Saint-Exupère et le comte de Percepieu paraissent ensemble.*

LA PATRONNE, *au vicomte, très vivement.* Il est entendu que je ne sais pas qui vous êtes. N'est-ce pas?
15 Vous me laisserez parler.

Elle s'avance vers les visiteurs.

SCÈNE VI

Les Mêmes, L'ABBÉ, LE COMTE.

Le comte est un vieillard sec, élégant, aimable: guêtres, monocle, jaquette grise. Ils entrent sans prêter nulle attention à Calixte.

L'ABBÉ. Permettez-moi, chère madame, de vous présenter le comte de Percepieu, qui désirait faire votre connaissance.

20 LA PATRONNE. J'ai beaucoup entendu parler de vous, monsieur.

Elle lui tend la main si royalement qu'il ne peut se dispenser de la baiser.

LE COMTE. Croyez que je suis infiniment charmé,
25 madame . . . Il y a bien longtemps que je remarque

votre magasin avec son air si propre, si joli . . . mais je n'avais pas eu l'occasion d'entrer. (*A ce moment, l'abbé reconnaît Calixte et pousse le coude du comte qui n'y prend pas garde et continue.*) Il faut que je vous avoue que je n'ai jamais monté à bicyclette. Dans ma jeunesse (*coup de coude*) cet instrument n'était pas encore inventé, et depuis . . . (*Coup de coude. Le comte jette un coup d'œil du côté de l'abbé, mais ne comprend pas et continue*) depuis nous avons eu l'automobile qui, on a beau dire, est une chose si commode, qui vous transporte si rapidement et avec si peu de fatigue . . . (*Coup de coude très énergique.*) Mais enfin, mon cher curé, qu'y a-t-il? (*L'abbé se contente de montrer Calixte d'un geste éloquent. Le comte ajuste d'abord son monocle, regarde avec attention, puis*) Oh! mais . . . mais . . . (*Il avance d'un pas.*) C'est vous, Calixte! (*Calixte regarde aussitôt la patronne qui, des lèvres, lui fait « chut!* » Calixte cligne de l'œil.*) Vous ne répondez pas? (*Il se tourne vers la patronne.*) Qu'est-ce que ce jeune homme fait ici, madame?

LA PATRONNE. Ce jeune homme est mon employé.

LE COMTE. Votre employé!

Il ajuste son monocle et dévisage à fond Calixte.

LA PATRONNE. Je l'ai pris à l'essai, mais je suis persuadée qu'il fera l'affaire. Vous le connaissez?

LE COMTE, *sans trop d'éclat et avec esprit.* C'est mon fils, madame!

LA PATRONNE. *Elle regarde posément Calixte qui, pour la rassurer, cligne de l'œil, puis se tourne vers le comte et vers l'abbé. Au comte.* Votre fils? (*A l'abbé.*) Le jeune homme dont vous me parliez tout à l'heure?

17. *who says "hush" to him just with her lips without making a sound.*

L'ABBÉ, *à qui le scandale a coupé bras et jambes.** Oui.

LE COMTE, *mi-colère, mi-amusé.* Voilà du beau.

LA PATRONNE, *au comte.* Laissez-moi vous dire que je suis un peu étonnée, monsieur. (*Elle feint de réfléchir.*)
5 Mais alors, monsieur votre fils a déjà fait du commerce ?

LE COMTE. *Il prend par moments, quand il s'égaie, une petite voix suraiguë.* Lui ! (*Il éclate de rire.*) Je serais bien embarrassé de vous dire ce qu'il a fait, car sa particularité dominante (*il se tourne vers l'abbé*) est de
10 n'avoir jamais rien fait. Mais en tout cas pas du commerce !

Il rit encore.

LA PATRONNE, *sur un ton « grand chef ».** J'ai peine à vous croire, monsieur. Monsieur votre fils vient de
15 traiter sous mes yeux plusieurs affaires avec une compétence, une dextérité et un sang-froid qui ne montrent absolument pas le débutant.

LE COMTE. Voilà qu'on me fait des éloges de mon fils, mon cher curé ! C'est trop drôle. Je m'y habi-
20 tuerai, mais la surprise est forte ! (*Il rit.*) En somme, c'est exactement une situation comme celles de ces anciennes comédies qui s'appelaient l'Amour ceci, l'Amour cela * . . . ha ! ha ! ha ! « L'Amour cycliste ! » . . . ou « l'Amour boutiquier ! » ha ! ha ! Vous n'êtes
25 jamais allé au théâtre, vous, mon cher curé ? Eh bien ! vous y êtes ! (*Il s'épanouit tout à son aise. La patronne*

1. *completely bowled over by the scandal.*

13. *speaking with an accent of great assurance and authority.*

23. A large number of comedies were written in the 17th and 18th centuries dealing with various disguises assumed by lovers in order to converse with their sweethearts. Their titles were usually in the form *L'Amour* + the name of the disguise. *E.g.* Molière's *L'Amour peintre* and *L'Amour médecin.*

garde un air fort digne et presque offusqué. Le vicomte, pour se donner une contenance et comme par l'effet d'une vieille habitude, range ses pompes sur le comptoir par ordre de prix. On le voit consulter rapidement de l'œil les étiquettes. Le comte à l'abbé:) Auriez-vous cru que ce gaillard trouverait tant d'esprit? Il se déguise en employé pour approcher de sa belle; et pour la séduire, il se donne soudain le génie du commerce! (*A la patronne:*) Car, madame, après avoir gagné ainsi votre estime, il allait, dans cinq minutes, tomber à vos pieds et vous déclarer son amour. (*Se tournant à demi vers l'abbé.*) Nous sommes arrivés à temps! ha! ha! (*Il se calme.*) Mais nous pourrions maintenant, ne croyez-vous pas? essayer de dire des choses un peu plus sérieuses. (*Au vicomte, d'un ton froid, sans sévérité:*) Mon cher Calixte, vous pouvez enlever votre blouse et rentrer tranquillement à la maison où nous vous retrouverons tout à l'heure.

LE VICOMTE, *calme.* Je suis majeur.

LE COMTE. Que dit-il?

L'ABBÉ, *doucement.* Il insinue, me semble-t-il, qu'il a passé l'âge de la majorité et qu'il est maître de ses actions. (*Le comte fait un mouvement. L'abbé poursuit à mi-voix.*) Je ne sais s'il faudrait trop le brusquer.

LE COMTE, *qui cherche à rester calme.* Mon cher Calixte, vous n'allez pourtant pas nous faire croire que vous voulez rester ici, avec cette blouse, à vendre des bicyclettes?

LE VICOMTE. Si.

LE COMTE. C'est entendu. Vous vous êtes amouraché de madame — qui d'ailleurs se moque bien de vous, et qui a tout à fait raison — mais il serait du plus mauvais goût de compliquer cette première folie d'une plaisanterie dont nous vous tenons quitte.

LA PATRONNE. Pardonnez-moi, monsieur. Je ne suis pas absolument sûre que vous vous fassiez une juste
5 idée de l'état d'esprit de monsieur votre fils. (*Elle regarde Calixte pour l'avertir d'être bien au fait.**) Vous parliez à l'instant des sentiments qu'il aurait * pour moi. Je n'ai pas encore à les juger ni à examiner quelle réponse je puis leur faire. Mais il y a un point où il
10 me semble que vous vous méprenez. J'ai des raisons de croire que le goût de votre fils pour le commerce est des plus solides.* Sans vous nommer, il m'a dit un mot, tout à l'heure, des résistances que cette vocation rencontrait dans sa famille, et de l'obstination qu'il
15 mettrait à les vaincre. (*Elle le regarde encore.*) Bien que pour ma part j'aie le goût d'une vie plus élégante et que ce qui me retient dans cette maison soit surtout le souci de ne pas laisser déchoir une affaire ancienne et de premier ordre, je ne saurais blâmer chez un jeune homme
20 des aspirations aussi sérieuses, que justifient des aptitudes exceptionnelles. En l'engageant, je lui ai presque promis de lui céder un jour ma maison. Il m'a affirmé qu'il était majeur, qu'il trouverait l'argent tôt ou tard. Je l'ai cru.

25 LE VICOMTE, *qui rayonne.* Parfaitement.

LE COMTE. Cette fois, nous tombons aux plus plates absurdités.

L'ABBÉ, *à la patronne.* Mais, chère madame, s'il ne s'agissait que de céder votre maison, la proposition

6. *to warn him to look intelligent, as if he knew just how matters stood.* 7. *which he is said to have . . .* (Cf. p. 56, l. 13.) 12. *very real and very strong.* (Cf. p. 53, l. 5.)

dont je vous ai parlé n'était-elle pas à considérer d'abord ?

LA PATRONNE. En dehors de mes convenances personnelles, monsieur le curé, le sort de ma firme ne m'est pas indifférent. Je la remettrais plus volontiers à un jeune homme travailleur, prêt à s'y dévouer corps et âme, qu'à des gens qui, moi partie,* colleront peut-être l'écriteau « à louer » sur mon magasin.

LE COMTE, *qui n'a pas écouté, à l'abbé.* Que penser de tout cela, mon cher ami ?

L'ABBÉ. Il se peut que la prétendue vocation de monsieur votre fils ne lui soit qu'un prétexte. Il se peut aussi qu'elle soit véritable et qu'elle aide à expliquer ce que sa passion pour madame et son désir de l'épouser ont à nos yeux d'inattendu.*

LE COMTE. Et quel parti prendre ?

L'ABBÉ. Il ne faut pas se dissimuler que deux passions aussi peu semblables, lorsqu'elles se soutiennent et travaillent à se justifier mutuellement, ne sont pas faciles à extirper d'un coup.

LE COMTE, *à son fils.* Mais, mon cher Calixte, en admettant que vous ayez la bosse des affaires — ce que je n'arrive pas bien à me représenter — allez au moins sur un champ d'action digne de vous ! Je ne manque pas de relations dans la banque et l'industrie. Je vous introduirai. On vous essayera. Mais, pour Dieu ! quittez-moi cette blouse !*

LE VICOMTE, *une pompe à la main.* Je veux rester dans le pays. (*Après une pause, et d'un ton sans ré-*

7. *as soon as I have gone . . .*
15. *what is so surprising to us about his passion for this lady and his desire to marry her.*
27. *take off that smock for me.*

plique.) C'est le cycle que je veux faire,* et les accessoires.

LE COMTE. Il est affolant !

L'ABBÉ, *doucement.* Si vous lui * achetiez ce magasin ?

5 LE COMTE. Non, mon cher curé, mille fois non ! Qu'il soit dit qu'un Percepieu s'est fait boutiquier par simple goût de la boutiquerie ? Vous voyez toute la ville défilant devant ce comptoir ? et devant cette blouse ? Non. L'amour, lui, n'excuse pas les folies,
10 mais il les sauve du ridicule. Tant que je pensais que Calixte était entré dans cet accoutrement pour les beaux yeux de madame,* je n'avais pas lieu d'en rougir. Mais si c'est par « vocation » ! . . .

Il écarte les bras.

15 LA PATRONNE. De toute façon, les choses ne peuvent rester en l'état. Si monsieur votre fils a pour moi les sentiments que vous lui prêtez, sa présence ici, comme employé, n'est plus possible.

LE VICOMTE, *avec calme.* Je ne m'en irai pas.

20 *Il cligne de l'œil à l'intention de la patronne.*

LA PATRONNE, *à l'abbé.* Je pense tout à fait comme vous, monsieur le curé, sur la nécessité de l'ordre. Et j'ai eu l'occasion de montrer à quelqu'un, il n'y a pas une demi-heure, que je m'en fais une idée encore plus
25 stricte que vous. En revanche, je ne partage pas du tout les préjugés du comte de Percepieu à l'égard des professions utiles. J'estime que ce sont là des répugnances qui ont fait leur temps.

Elle a jeté cela avec la dignité la plus cavalière.

1. *It's the bicycle business that I want to go into.*
4. *for him.*
12. *for the sake of this lady's pretty face . . .*

LE COMTE, *assez impressionné, la regarde avec plus d'attention qu'il n'a fait jusque-là.* Mais enfin, chère madame, je voudrais bien vous voir à ma place !

L'abbé sans cesser d'écouter, médite.

LA PATRONNE. Croyez-vous que la mienne soit plus agréable, et que j'aie l'habitude d'être compromise dans des aventures de ce genre ? 5

L'ABBÉ, *au comte.* Il ne faut pas oublier en effet que madame est d'une excellente famille, et qu'elle a conscience du rang que tient sa maison dans l'industrie régionale. Car il s'agit bien d'industrie. Ces vélocipèdes sortent d'une usine qui travaille spécialement pour madame. La marque « La Scintillante » est une des premières du département. 10

LA PATRONNE. La première, monsieur le curé. 15

L'ABBÉ. La première ! Les dimensions mêmes du magasin ne signifient rien. Une maison ancienne et solide ne cherche pas à éblouir. Il est arrivé à la Cour d'Angleterre de se fournir ici.

La patronne là-dessus tend au comte une des feuilles de papier à en-tête qui sont sur la caisse. 20

LE COMTE, *ajustant son monocle.* Heu . . . Cycles « La Scintillante », les plus hautes récompenses aux expositions universelles, 3ᵉ de la course Paris-Brest * de 1911, fournisseur de S. M. la reine d'Angleterre. (*Se tournant vers la patronne qu'il examine de nouveau à travers son monocle.*) Et c'est vous, madame, qui dirigez la maison ? 25

LA PATRONNE. Je la dirige et j'en suis l'unique propriétaire. 30

LE COMTE. Et, entre nous, croyez-vous qu'une in-

24. *third place in the race from Paris to Brest.* (Cross-country bicycle races are very popular in France.)

dustrie pareille puisse prendre encore du développement ?

LA PATRONNE. Certainement, monsieur. Un développement qu'une femme seule doit renoncer à lui
5 donner. Par exemple, on pourrait entreprendre la fabrication des motocyclettes légères.

LE COMTE. Oui, voilà qui est intéressant, et qui nous change déjà de catégorie.* Mais les automobiles ! Ah ! « Automobiles La Scintillante », je vois très bien cela.
10 Pourriez-vous fabriquer des automobiles ? (*Il se tourne vers l'abbé.*) Qu'en pensez-vous, mon cher curé : « Automobiles La Scintillante . . . (*Il reprend le papier à en-tête.*) Le reste ne change pas . . . les plus hautes récompenses . . . bien . . . (*avec une satisfaction évidente*)
15 fournisseur de S. M. la Reine d'Angleterre ».

Pendant ce temps le vicomte a fait signe à la patronne qui s'est rapprochée insensiblement de lui.

LE VICOMTE, *bas, à la patronne.* Dites-lui qu'on en fabriquera. (*Il cligne de l'œil et comme pour lui-même,*
20 *avec un rire profond.*) Et puis, après, on n'en fabriquera pas.

LA PATRONNE, *au comte.* La chose n'a rien d'impossible.* C'est une question à étudier.

LE COMTE, *à l'abbé.* Hein ? L'aspect du problème se
25 modifie. Vous qui connaissez bien ma femme, croyez-vous que . . . heu ?

LE VICOMTE, *bas, à la patronne qui l'écoute sans se retourner.* Hé . . . hé . . . dites donc, tout à l'heure, donnez une bicyclette au curé, gratis . . . Si, si, il mérite
30 ça . . . Je la paierai . . .

Il cligne de nouveau de l'œil et rigole.

8. *already raises our level.* 23. *It is not at all impossible.*

LE COMTE, *à l'abbé.* Et pour la population? C'est plus avouable,* n'est-ce pas?

L'ABBÉ. J'estime comme vous qu'à tous égards, nous sommes en face d'une situation nouvelle.

LE COMTE, *d'un ton de « dénouement ».** Mon cher 5 Calixte, je ne suis certes pas acquis à vos projets, mais je reconnais qu'ils valent une discussion. Faites-moi l'amitié de quitter cette blouse et de nous accompagner au château. Madame vous accorde bien une heure de permission, n'est-ce pas? (*Le vicomte, après un instant* 10 *de réflexion, se décide à quitter la blouse.*) Madame, je vous présente mes hommages . . . (*tandis qu'il lui baise la main*) J'ai été plus ravi que je ne saurais dire . . . Je ne serais pas du tout surpris que nous eussions prochainement une nouvelle conversation. J'ai toujours 15 rêvé de m'intéresser à une affaire d'automobiles.

L'abbé prend congé. Les deux hommes se dirigent vers la porte. Calixte les suit.

LE VICOMTE, *au moment où il passe devant la patronne.* Ça va! Ça va! Seulement là-haut, il y aura encore du 20 tirage. Alors, je vais tout de suite parler au curé de sa bicyclette.

RIDEAU

2. *It sounds better.*
5. *Speaking like an actor in a play who announces the happy ending.*

A LOUER MEUBLÉ

COMÉDIE GAIE EN UN ACTE

par

GABRIEL D'HERVILLIEZ

A

MADAME GASTON ANDRIEU,
Bien sympathique hommage
— G. H.

GABRIEL D'HERVILLIEZ

Of all the forms of French literature, the unpretentious farce is the one which has had the longest and the most continuous career. The first masterpiece of the genre was *Maître Pathelin* in the Middle Ages, and since that time innumerable authors, from Molière to Courteline, have added new and brilliant samples to that form of drama which makes people laugh lustily at the ridiculousness of human society and human types. The latest practitioner of this traditional form is Gabriel d'Hervilliez, a Parisian lawyer by profession and an author by avocation. Since *La rente viagère*, first produced in 1931, his little farces have constantly won in competitions organized by the Paris paper, *Comœdia*. Two of them, *Fausse monnaie* (written in collaboration with Edmond Cléray in 1935), and *La peau de banane* (1936), deal with a scene familiar to the author, the law courts and the police, and their very funny satire of the officers of the law and the administrators of justice have made many critics hail d'Hervilliez as a second Courteline. All his plays are based on extremely amusing situations, they are written with great verve and wit, yet they do not depend solely on situations to make the audience laugh. There is always mockery in the laughter, for d'Hervilliez makes us laugh at human stupidity which may be the product of the character's vices (as in *A louer meublé*), or of a social organization (as in *Fausse monnaie* and *La peau de banane*). Thus his plays are in the great tradition of French farce which has always had a large proportion of satire in it. *A louer meublé* was first presented at a gala performance of one-act plays in 1935 when it was received with great enthusiasm. It has been acted very often since, and is especially suited to amateurs.

PERSONNAGES

HORTENSE PRENTOUT[1]
ALFRED PRENTOUT, *35 à 45 ans*
DÉDÉ, *25 ans*
JOJO, *20 ans*
ALCIDE TUBEUF, *50 ans*

DÉCOR

A la campagne. Le salon de la villa « Mon Rêve ». Mobilier simple. Canapé et fauteuils Louis-Philippe[2] recouverts de housses (les housses sont facultatives).

Au milieu du salon, une table guéridon. De chaque côté, une chaise. Aux murs, quelques mauvais tableaux. Bien en évidence, un agrandissement photographique: le portrait de M. Alcide Tubeuf, le propriétaire de la villa . . . ou, à son défaut, une simple photographie quelconque dans un cadre-chevalet, qui sera posé de trois-quart[3] sur le guéridon, de façon que le public ne puisse voir la photographie.

Sur la cheminée, une pendule. Fenêtre en pan coupé à gauche. Quand la fenêtre est ouverte on aperçoit la campagne.

Au fond: une porte. A droite: une autre porte.

[1] These names are intended to indicate the nature of the characters. Prentout = Take-all; Dédé and Jojo are popular nicknames; Tubeuf = Killox.

[2] *of the Louis-Philippe style.* (This style, which takes its name from the king of France who reigned from 1830 to 1848, is derived from the Louis XV and the baroque styles. It differs from these in being more sober and more delicately ornamented.)

[3] *placed in a semi-profile position.*

« A LOUER MEUBLÉ »

SCÈNE PREMIÈRE

DÉDÉ, JOJO

Quand on lève le rideau, le salon est dans la pénombre, vide. Les doubles rideaux de la fenêtre sont fermés. On entend dans la coulisse un bruit de carreaux brisés. Un petit temps. Puis la porte du fond s'ouvre doucement et l'on verra deux hommes pénétrer avec circonspection dans le salon, qui sera dans une demi-obscurité. Jojo reste près de la porte. Dédé se dirige à tâtons vers la fenêtre (il pourra heurter au passage un meuble ou deux) et délibérément ouvrira les rideaux.

Le salon sera alors en pleine lumière.

Dédé jette un coup d'œil circulaire, aperçoit un fauteuil et s'assied confortablement.

DÉDÉ, *tranquillement.* Et voilà !

JOJO, *s'épongeant le front.* Je n'ai pas un poil de sec.*

DÉDÉ, *même jeu.* Tu me fais rigoler. Je te dis que c'est du tout cuit.* 5

JOJO. Je n'aime pas beaucoup ce genre d'opération.

DÉDÉ, *avec dédain.* Mauviette !

JOJO, *s'asseyant à son tour.* C'est le cœur. On ne se refait pas. J'ai le cœur sensible.*

DÉDÉ. Mais . . . bougre de taffeur ! *. . . T'as donc 10 pas * lu l'écriteau ?

JOJO. Quel écriteau ?

3. *I'm all of a sweat.* (The language of the two young thieves is constantly slangy, vulgar and incorrect.)

5. *I tell you it's just waiting to be picked.*

9. *I have a weak heart.*

10. *you damned sissy !*

11. = *tu n'as donc pas* (Note this careless omission of *ne* and elision of *tu.*)

DÉDÉ. *Villa meublée à louer . . . libre de suite . . . S'adresser * à M. Tubeuf, 78, Grande-Rue *. . .*

JOJO. Et après?

DÉDÉ, *essayant patiemment de se faire comprendre.* La villa est meublée . . . Elle est à louer . . . Le proprio s'appelle Tubeuf . . . 5

JOJO. Je m'en f . . . ! *

DÉDÉ, *même jeu.* Moi aussi. Mais il a la gentillesse de nous prévenir qu'il n'habite pas ici. C'est une crème,* cet homme-là ! 10

JOJO. C'est pas un métier pour moi !

DÉDÉ. Alors . . . il fallait rester chez ton notaire !

JOJO. Je ne pouvais pas y rester et emporter la caisse . . .

DÉDÉ. Evidemment ! 15

JOJO. Mais, pour ça,* j'ai pas le cœur à l'ouvrage.

DÉDÉ. Alors . . . qu'est-ce que tu veux faire ? . . . Travailler ?

JOJO, *scandalisé.* Oh ! non . . .

DÉDÉ, *se levant.* Eh bien . . . si tu ne veux pas travailler . . . au boulot ! 20

JOJO, *sans enthousiasme se levant aussi.* Au boulot !

DÉDÉ. Repérons les lieux . . . et faisons l'inventaire. (*Coup d'œil circulaire.*) C'est pas mal.

JOJO. Le butin sera maigre. T'as pas la prétention d'emporter * les meubles ? 25

2. The infinitive is often used as an imperative in giving general commands to no specific individual.

2. This has about the value of "Main Street" in English.

7. A very vulgar expression meaning "I don't give a hang."

10. "*a good egg.*"

16. *for this job.*

26. *You surely don't flatter yourself that you are going to be able to carry off . . .*

DÉDÉ. Non . . . mais le linge . . . les bibelots . . . l'argenterie . . . .

JOJO. Tu déraillés, Dédé ! T'as déjà vu de l'argenterie dans une maison meublée ? On se méfie bien plus
5 des locataires que des cambrioleurs.

DÉDÉ. On va toujours emporter les draps, les couvertures.

JOJO. Par cette chaleur !

DÉDÉ. Ah ! dame . . . on n'a rien sans mal.

10 JOJO *le prenant par le bras.* Ecoute !

DÉDÉ *prêtant l'oreille.* Quoi ?

JOJO. Tu entends ?

DÉDÉ *qui n'entend rien.* T'as des visions.

JOJO *défaillant.* Je me sens mal à l'aise !

15 DÉDÉ. Quel froussard tu fais ! *

JOJO. Dépêchons-nous et fichons le camp !

DÉDÉ. Vise la pendule !

JOJO *sans conviction.* Elle est belle.

DÉDÉ *la soupesant en faisant un effort.* Mais c'est du
20 lourd ! * Impossible d'emporter ça !

JOJO *méprisant.* Evidemment !

DÉDÉ *montrant l'agrandissement photographique.* T'as vu la gueule du vieux ? Ça doit être le propriétaire !

25 JOJO. Le citoyen Tubeuf. Il n'a pas l'air commode. . . . Barrons-nous.

DÉDÉ. Allons voir les chambres. Faisons le tour du proprio.

JOJO. Quel métier !

30 (*Dédé ouvre avec précaution la porte de droite.*)

15. *What a sissy you're turning out to be !*
20. *that's heavy stuff !*

JOJO *regardant par-dessus son épaule.* C'est confortable.

(*Dédé pénètre dans la chambre. Jojo reste sur le seuil.*)

VOIX DE DÉDÉ. Et vise le plume ! Ah ! il y a des gens 5
heureux sur la terre.

JOJO. Ne t'attendris pas !

VOIX DE DÉDÉ. Un trousseau de clés . . . les clés de la villa ! (*Il reparaît sur le seuil de la chambre et joue avec le trousseau de clés.*) Je sens que je deviens proprié- 10
taire . . .

JOJO *pressé de s'en aller.* Allez ! grouille-toi . . . On n'est pas ici pour rigoler.

DÉDÉ *placide.* Bien, patron . . . Fais le guet à la fenêtre . . . Moi je prépare les malles. 15

(*Il rentre dans la chambre.*)

SCÈNE II

Les Mêmes, PRENTOUT, HORTENSE

JOJO. Il vaudrait mieux que j'enlève l'écriteau. On serait plus tranquille.

VOIX DE DÉDÉ. Tu as raison. (*Jojo se penche à la fenêtre pour prendre l'écriteau. A ce moment, on entend* 20
un coup de sonnette. Jojo, terrorisé, le corps penché dans le vide, se cramponne à la fenêtre.)

DÉDÉ *reparaissant et se dissimulant derrière un fauteuil.* On est fait ! *

VOIX DE PRENTOUT *à Jojo.* Est-ce que la villa est 25
louée, monsieur ?

(*Jojo, sans répondre, saute dans le salon, l'écriteau*

24. *We're pinched !*

à la main. On entend un deuxième coup de sonnette.)

JOJO *affolé.* On est fait comme des rats ! *

(Il se cache derrière Dédé.)

5 VOIX DE PRENTOUT. Peut-on visiter la villa ?

JOJO *la voix éteinte.* Pas aujourd'hui.

DÉDÉ *plus calme.* Visiter la villa ! Pourquoi pas ?

(Il se lève délibérément et va à la fenêtre.)

JOJO *affolé.* T'es pas fou ?

10 DÉDÉ. Allons ! debout . . . poltron . . . taffeur. Tu ne vois donc pas que c'est un amateur ?

JOJO *sans comprendre.* Un amateur ?

DÉDÉ *ouvrant la fenêtre entièrement.* Vous désirez, monsieur ?

15 VOIX DE PRENTOUT. La villa est à louer ?

DÉDÉ *aimable.* Mais oui, monsieur . . .

VOIX DE PRENTOUT. Peut-on visiter ?

DÉDÉ. Mais certainement . . . Je vais ouvrir, le temps de prendre les clés.* (*Il referme la fenêtre. — A* 20 *Jojo.*) De la tenue ! . . . du sang-froid ! . . . du naturel ! * Qu'est-ce qu'on risque ?

JOJO (*très simplement*). La prison !

DÉDÉ *prenant le trousseau de clés qu'il a posé sur un fauteuil.* La villa est à louer. Il veut visiter, cet 25 homme ! C'est son droit !

(Il sort. Jojo s'éponge le front et le cou. Il met un peu d'ordre dans le salon.)

VOIX DE DÉDÉ. Bonjour, madame . . . (*Jojo se précipite à la fenêtre et regarde.*) Bonjour, monsieur. Don-

3. *We're caught like rats in a trap.*
19. *just a moment while I get the keys.*
21. *Behave yourself ! . . . be calm ! . . . be natural !*

nez-vous la peine d'entrer. (*On entend des bruits de pas. Un petit temps . . . Entrent Alfred Prentout et sa femme Hortense, suivis de Dédé. — Dédé, désignant Jojo.*) Je vous présente mon frère . . .

HORTENSE *s'inclinant ainsi que Prentout.* Monsieur . . . 5

JOJO *gauche.* Madame ! . . . Monsieur ! . . .

PRENTOUT *lui serrant la main.* Ravi, monsieur . . .

JOJO. Pas tant que moi . . . monsieur . . .

(*Petite gêne générale.*) 10

DÉDÉ. Prenez donc la peine de vous asseoir.

PRENTOUT. Merci. (*Prentout et Hortense prennent chacun un siège de chaque côté du guéridon. Jojo et Dédé restent debout derrière ce meuble.*) Nous passions sur la route en voiture et nous étions en train de lire l'écri- 15 teau « *Villa à louer* » (*Il montre l'écriteau que Jojo tient à la main*) quand vous êtes venu le décrocher. La villa n'est pas louée, j'espère ?

DÉDÉ *vivement.* Pas encore. Nous sommes en pourparlers . . . mais elle n'est pas louée . . . 20

PRENTOUT. Ah ! tant mieux. Le pays plaît beaucoup à ma femme . . . et, mon Dieu ! nous avons pensé . . .

HORTENSE *regardant son mari, impérative.* Si les conditions nous conviennent . . .

PRENTOUT . . . Si les conditions nous conviennent 25 . . . qu'il ne serait pas désagréable de passer nos vacances ici.

DÉDÉ *approuvant.* Voilà une bonne idée !

HORTENSE *minaudant.* J'adore ce pays.

DÉDÉ *même jeu.* C'est un pays charmant. 30

PRENTOUT. Les habitants ont l'air d'être de braves gens.

DÉDÉ. De très braves gens . . . aimables, hospitaliers. Les maisons sont accueillantes* . . .

HORTENSE *se levant ainsi que Prentout.* C'est très intéressant. Voulez-vous nous faire visiter ?

5 DÉDÉ. Avec plaisir !

HORTENSE *à Jojo.* Combien avez-vous de chambres ?

JOJO *pris de court.* Combien ?

DÉDÉ *venant à son secours.* Vous allez vous rendre compte* . . . Rien ne vaut une bonne visite.

10 HORTENSE. Vous avez l'eau, le gaz . . . l'électricité ?

DÉDÉ *qui n'en sait rien lui-même.* Vous verrez. Je ne veux rien vous dire. Il ne faut pas influencer l'amateur.

PRENTOUT. Ce sera la surprise de la découverte.

DÉDÉ. Voilà ! Voyez . . . visitez . . . inspectez . . .
15 Si la maison vous plaît, nous examinerons ensuite les conditions.

HORTENSE. Ici, c'est le salon ?

DÉDÉ *sans assurance.* Oui . . . certainement . . . c'est le salon . . .

20 JOJO *ouvrant la porte de droite.* A côté, une chambre à coucher.

HORTENSE *passant dans la chambre.* Tu viens, Alfred ?

PRENTOUT *suivant sa femme docilement.* Voilà !

HORTENSE *revenant sur le seuil.* Nous allons jeter un
25 coup d'œil général.

DÉDÉ. C'est cela. Vous n'avez pas besoin de guide et, seuls, vous pourrez mieux échanger vos impressions. Nous vous attendons.*

2. *People like to welcome you in their homes.* (Note the double meaning.)

9. *You will see for yourselves.*

28. *We'll wait for you.* (Note this use of the present for a vivid future.)

HORTENSE *toujours sur le seuil de la porte.* Si vous voulez . . . Ce ne sera pas long.

DÉDÉ. Prenez votre temps.

(*Hortense et Prentout sortent à droite.*)

SCÈNE III

DÉDÉ, JOJO

JOJO *revenant près de Dédé.* Tu les laisses seuls ? 5

DÉDÉ. Oui.

JOJO. T'as pas peur pour les bibelots ?

DÉDÉ. Non. Ils m'inspirent confiance. Et puis, j'ai besoin de m'entendre avec toi.

JOJO. Si tu veux mon avis . . . fichons le camp ! Le 10 proprio va arriver. De quoi qu'on aura l'air ? *

DÉDÉ *désinvolte.* Ils me font bonne impression, mes amateurs. Alfred me plaît.

JOJO *toujours tremblant.* La bourgeoise ne me dit rien de bon.* 15

DÉDÉ. Ils ont l'air au sac. Ils ont une voiture.

(*En disant cela, il fouille dans les poches du pardessus que Prentout a laissé sur une chaise.*)

JOJO. Qu'est-ce que tu fais ?

DÉDÉ. Je me renseigne. 20

JOJO. Fais attention . . . Il peut rentrer.

DÉDÉ *poursuivant son idée.* Combien qu'on * va leur louer la tôle ?

JOJO *ahuri.* Tu veux leur louer la maison ?

DÉDÉ *placide.* Pourquoi pas ? 25

11. *What will we look like ?*
15. *I don't like the look of the missis.*
22. *= Combien est-ce qu'on . . .*

JOJO. T'es culotté !

DÉDÉ *même jeu.* Mais combien qu' ça vaut ?

JOJO. Je ne sais pas. . .

DÉDÉ *admiratif.* C'est une belle maison.

5 JOJO. Oui.

DÉDÉ *même jeu.* Une maison comme ça . . . ça vaut des sous ! *

JOJO. Oui.

DÉDÉ. Faut pas * la donner pour rien !

10 JOJO. Non.

DÉDÉ. Il ne faut pas non plus en demander trop cher . . .

JOJO. Ils ficheraient le camp !

DÉDÉ. . . . Ni trop bon marché . . .

15 JOJO. Ça paraîtrait suspect !

DÉDÉ. Il faut trouver un prix raisonnable pour nous . . . et avantageux pour eux.

JOJO. Voilà !

DÉDÉ. Je ne sais même pas combien il y a de pièces !

20 JOJO. Tu aurais dû aller visiter avec eux.

DÉDÉ. Je voulais m'entendre avec toi . . . car nous sommes co-propriétaires.

JOJO *simplement.* Comme nous avons été codétenus ! Nous sommes de jolis co . . . cos ! *

25 DÉDÉ. Comment loue-t-on une villa chez les notaires ?

JOJO *avec l'assurance du technicien.* On commence par faire verser de l'argent.

7. *is worth (a lot of) money !*
9. = *Il ne faut pas . . .*
24. *guys !* (Note the play on the prefix " co-", which it is impossible to reproduce in English. The idea might be suggested by translating *cocos* as " buddies".)

DÉDÉ *qui n'en revient pas.* Tout de suite ?
JOJO. Tout de suite.
DÉDÉ. Ça se fait ? *
JOJO. Toujours.
DÉDÉ *ravi.* Voilà une bonne habitude ! 5
JOJO. On appelle ça « payer des loyers d'avance ».
DÉDÉ. Ils ne sont pas bêtes . . . les notaires !
JOJO *prêtant l'oreille.* Acré ! Les voilà . . .

SCÈNE IV

Les Mêmes, HORTENSE, PRENTOUT

Hortense et son mari entrent en scène par la porte du fond.

DÉDÉ. Eh bien ? . . .
HORTENSE *avec réserve.* Ce n'est pas mal. 10
PRENTOUT. C'est très bien.
HORTENSE *avec vivacité.* Non . . . Ce n'est pas très bien. Tu exagères toujours . . . Ce n'est pas mal.
DÉDÉ *conciliant.* Enfin . . . ça vous plaît ?
HORTENSE. En principe . . . oui. 15
PRENTOUT. La maison est confortable, spacieuse.
HORTENSE. Elle est même trop grande . . . C'est une caserne. Quel entretien ! *
PRENTOUT. Il vaut mieux avoir trop de place . . .
HORTENSE *l'interrompant.* Enfin . . . elle est ce 20 qu'elle est.
JOJO. Voilà ! . . . Elle est ce qu'elle est.
HORTENSE. Alors . . . quelles seraient vos conditions ?
DÉDÉ *embarrassé.* Ah ! voilà . . . Nos conditions ? . . .
(*Dédé et Jojo se regardent, indécis.*) 25

3. *That's the way it's done?*
18. *What a lot of work to take care of it!*

HORTENSE. Oui.

DÉDÉ *pour gagner du temps.* Asseyez-vous, je vous en prie.

(*Prentout et Hortense reprennent leur place de chaque*
5 *côté du guéridon. Dédé et Jojo restent debout derrière le meuble.*)

PRENTOUT *se tournant vers eux.* Vous aurez de bons locataires . . .

HORTENSE *même jeu.* Soigneux . . .

10 PRENTOUT *se remettant face au public.* Tranquilles . . .

HORTENSE *même jeu.* Honnêtes . . .

DÉDÉ. C'est ce que nous cherchons avant tout ! . . .

HORTENSE. Alors . . . de ce côté . . . vous pouvez
15 avoir tous apaisements.* Mon mari est commissaire de police . . .

(*Jojo sent ses jambes se dérober sous lui et s'effondre. Dédé le rattrape par le col de son veston et le redresse.*)

20 DÉDÉ *la gorge sèche.* Ah ! Monsieur est commissaire de police . . .

JOJO *s'éponge fébrilement le front.* Ah ! pour une garantie . . .

DÉDÉ. . . . C'est une garantie !* . . .

25 HORTENSE *se tournant vers Dédé et Jojo.* Alors . . . quel serait votre prix ?

DÉDÉ *reprenant son assurance.* Mon Dieu, madame . . . pour avoir chez nous des personnes aussi respectables . . .

30 PRENTOUT *s'incline.* Merci.

15. *you can have complete confidence.*
24. *Oh ! as far as guarantees go . . . That's a real one, all right !*

DÉDÉ. Nous sommes prêts, mon frère et moi, à tous les sacrifices. Mais . . . vous ne l'ignorez pas, madame . . . ni vous, monsieur le commissaire . . . lorsqu'on loue une maison, il est d'usage . . . Il a toujours été d'usage . . . de faire verser un peu d'argent. 5

PRENTOUT. Des loyers d'avance . . .

DÉDÉ. C'est cela.

PRENTOUT. C'est tout naturel.

DÉDÉ. Vous n'y êtes pas opposés ?

PRENTOUT. Mais non. 10

HORTENSE. Nous connaissons les usages . . .

DÉDÉ. Alors le reste ira tout seul. Je vous dirai cependant que notre prix . . . dépendra un peu . . . de ce que vous pourrez verser d'avance.

PRENTOUT. Nous verserons ce que vous voudrez. 15

HORTENSE *avec dignité.* Cependant, quand on traite avec un commissaire de police ! . . .

JOJO *s'épongeant.* Evidemment, c'est une garantie.

HORTENSE. Est-ce vous qui avez fait construire la villa ? 20

DÉDÉ *pris à l'improviste.* Oh ! non . . . c'est notre père.

HORTENSE. Votre père est probablement . . . ce vieux monsieur . . . Pardon ! . . . ce monsieur ?

(*Elle montre l'agrandissement photographique.*) 25

DÉDÉ *avec componction.* Oui, madame.

HORTENSE. Il est très bien, monsieur votre père. Vous lui ressemblez.

DÉDÉ ET JOJO *ensemble.* On nous l'a toujours dit.

HORTENSE. Mais il n'a pas l'air commode ! 30

JOJO *s'épongeant.* N'est-ce pas ?

PRENTOUT. Mais alors c'est lui le propriétaire ?

DÉDÉ *vivement*. Oh ! non.

PRENTOUT. Comment cela ?

DÉDÉ. Il est mort . . . l'an dernier.

PRENTOUT. Oh ! pardon.

5 DÉDÉ. Alors . . . vous comprenez . . . revoir cette maison où notre pauvre père a vécu . . . C'est plus fort que nous * . . . l'émotion est trop forte . . .

JOJO *s'épongeant*. Oh ! oui, trop forte . . . Je ne peux pas y rester. Il faut que je m'en aille !

10 (*Il se lève et marche vers la porte.*)

DÉDÉ *le rattrapant au passage*. Aussi, nous ne venons que de temps en temps . . . pour aérer un peu.

JOJO. Et nous avons décidé de la louer.

PRENTOUT. Voilà qui tombe à merveille ! *

15 HORTENSE *suivant son idée*. Et quel serait votre prix ?

DÉDÉ. Eh bien ! . . . voilà. Vous nous êtes très sympathiques . . . à mon frère et à moi . . . N'est-ce pas, Jo . . . Joseph ?

20 JOJO *sans conviction*. Très sympathiques.

PRENTOUT *s'incline*. Merci.

DÉDÉ. Alors . . . si nous vous demandions . . . par exemple . . . mille balles . . . Enfin . . . je veux dire mille francs ? . . .

25 PRENTOUT. Mille francs ?

DÉDÉ *inquiet*. C'est trop cher ?

PRENTOUT. Je ne dis pas cela.

HORTENSE *avec réticence*. Ce n'est pas une occasion.

PRENTOUT. Ce n'est pas une occasion . . . mais c'est 30 raisonnable.

7. *We can't help it . . .*
14. *What a splendid coincidence !*

HORTENSE. C'est raisonnable ... si l'on veut. Nous feriez-vous un bail ... au moins ! ... pour ce prix là ?

JOJO *avec empressement.* Mais certainement !

HORTENSE *insatiable.* Et vous vous chargeriez de toutes les réparations ? 5

DÉDÉ *galamment.* Avec plaisir !

PRENTOUT. Pour les loyers d'avance ... voulez-vous six mois ?

DÉDÉ *indécis.* Six mois ?

PRENTOUT. Ça fait cinq cents francs. 10

JOJO. Vous ne pourriez pas verser un an ?

PRENTOUT. Mon Dieu ! si vous y tenez.

HORTENSE. Pourquoi un an ? Six mois, c'est assez.

DÉDÉ. Mon Dieu ! madame ... nous vous deman- 15 dons un an ... parce que nous allons partir en voyage. Vous auriez été tranquilles ... et nous aussi.

PRENTOUT. Je n'y vois pas d'inconvénient.

HORTENSE. Alors ... si nous versons un an, vous nous ferez retapisser la salle à manger ? 20

DÉDÉ *très conciliant.* Entendu ! On retapissera la salle à manger.

HORTENSE. ... Et repeindre la cuisine ?

DÉDÉ *même jeu.* On repeindra la cuisine.

PRENTOUT. Dans ces conditions, nous sommes 25 d'accord.

DÉDÉ. Nous sommes d'accord.

(*Prentout sort son portefeuille et l'ouvre. Les deux compères suivent ses gestes avec un intérêt passionné.*) 30

PRENTOUT. Nous disons donc ... mille francs ?

DÉDÉ *avec une joie contenue.* C'est bien cela.

PRENTOUT *sort mille francs.* Vous allez me préparer un petit reçu . . .

DÉDÉ. Certainement. (*A Jojo.*) Tu as du papier ?

JOJO. Non . . . je n'ai pas de papier.

5 PRENTOUT *sortant une feuille de papier.* J'ai ce qu'il faut. Voilà même mon stylo.

JOJO. Merci.

DÉDÉ. Installe-toi sur ce guéridon.*

JOJO *s'asseyant devant le guéridon.* Nous disons donc:

10 Reçu de Monsieur ? . . .

PRENTOUT. Prentout . . . Alfred Prentout.

DÉDÉ *aimable, debout derrière Jojo.* Prentout . . . C'est un joli nom. C'est même un programme.

HORTENSE *avec une nuance de mépris.* Oh ! mon

15 mari n'a jamais rien pris à personne.

PRENTOUT *riant.* Heureusement !

JOJO *continuant.* « . . . de M. Prentout la somme de mille francs . . . montant d'une année de loyer . . . »

PRENTOUT. C'est bien cela . . .

20 JOJO *écrivant.* « Pour une villa meublée . . . dont je suis . . . hum ! hum ! . . . dont je suis le propriétaire . . . »

PRENTOUT. Parfaitement !

JOJO. « Nous ferons à M. Prentout un bail de neuf ans . . . »

25 HORTENSE. Et vous ferez toutes les réparations . . .

JOJO *écrivant.* « . . . et nous ferons toutes les réparations qui seront nécessaires . . . Et je signe . . . je signe . . .

DÉDÉ *venant à son secours et lui montrant l'écriteau,*

30 *que Jojo aura placé sur une chaise bien en vue.* Tubeuf ! parbleu . . .

8. *Sit down at this table.*

JOJO. « Tubeuf ». Parfaitement !

(*Il tend à Prentout le reçu et met froidement le stylo dans sa poche.*)

PRENTOUT *parcourant le reçu des yeux.* Nous sommes tout à fait d'accord. 5

DÉDÉ *la bouche en cœur.* Avec cela, vous êtes bien tranquilles !

PRENTOUT. Voilà donc vos mille francs.

DÉDÉ *avec une joie contenue.* Merci, monsieur le commissaire. 10

(*Hortense et Prentout se lèvent.*)

HORTENSE. Et quand pourrons-nous nous installer ?

DÉDÉ. Mais tout de suite !

PRENTOUT. Voulez-vous que nous fassions l'inventaire ? 15

JOJO *pressé de s'en aller.* Oh ! ce n'est pas la peine.

DÉDÉ. Nous avons confiance en vous.

PRENTOUT. Je vous en remercie.

HORTENSE. Si vous désirez encore passer la nuit ici, nous serons heureux de vous offrir l'hospitalité. N'est- 20 ce pas, Alfred ?

PRENTOUT *docilement.* Mais certainement.

DÉDÉ *hésitant, à Jojo.* Qu'est-ce que tu en penses ?

JOJO *s'épongeant le front.* C'est impossible... voyons ! Nous devons être ce soir à Châteauroux.* 25

DÉDÉ. C'est vrai... Il faut que nous partions.

HORTENSE. Croyez que nous le regrettons !

JOJO. Ce sera pour une autre fois.

HORTENSE *à la fenêtre.* Quelle jolie vue reposante sur la campagne !... Oh ! regarde, Alfred... le beau 30 verger, là, juste en face de nous.

25. A city in the department of the Indre.

PRENTOUT *regardant à son tour.* Oh ! sacristi . . . des poires . . . des prunes . . . des pêches . . . des groseilles. C'est le paradis terrestre à notre porte. Quel supplice ce sera d'avoir cette tentation perpétuelle
5 devant nos yeux !

HORTENSE. Nous pourrons peut-être acheter quelques fruits au propriétaire ? (*A Dédé.*) Vous le connaissez ?

DÉDÉ. Qui cela ?

10 HORTENSE. Le propriétaire.

DÉDÉ *noblement.* Le propriétaire . . . mais c'est nous !

HORTENSE. C'est à vous aussi . . . ce beau verger ?

DÉDÉ. Mais oui.

15 (*Jojo s'éponge le front.*)

HORTENSE. Vous nous autoriserez bien, dans ce cas, à prendre quelques fruits ? . . . Oh ! avec discrétion.

PRENTOUT. En payant, bien entendu.

HORTENSE *avec vivacité.* En payant . . . en payant
20 . . . Tu ne sais faire que cela * . . . payer !

DÉDÉ *entrevoyant une nouvelle affaire.* C'est que . . . justement . . . nous devions vendre la récolte à l'épicier du bourg.

JOJO *timidement.* Il vaudrait peut-être mieux que
25 ce soit monsieur le commissaire qui en profite . . .

PRENTOUT. Ce serait plus logique.

HORTENSE. Si ces messieurs Tubeuf ne sont pas trop exigeants . . .

DÉDÉ. Nous serons raisonnables.

30 PRENTOUT. Jusqu'où va-t-il votre verger ?

DÉDÉ. Jusqu'où ?

20. *That's all you know how to do . . .*

PRENTOUT. Oui.

DÉDÉ *geste vague et magnifique.* Jusqu'au bout !

PRENTOUT *écarquillant les yeux.* Jusqu'au bout? . . . De quoi ? . . .

DÉDÉ *étendant la main.* Jusqu'à la cabane . . . là-bas . . . tout là-bas ! * 5

PRENTOUT *émerveillé et effrayé à la fois.* C'est important !

HORTENSE. Jamais nous ne mangerons tout cela.

DÉDÉ. Vous vendrez le reste. 10

HORTENSE. Et puis je ferai des confitures pour l'hiver.

DÉDÉ *approuvant.* Voilà une bonne idée !

HORTENSE *aimable, à Jojo.* Et je vous en réserverai quelques pots . . .

JOJO. Ça c'est gentil, madame. 15

DÉDÉ *bon prince.* Tenez ! donnez-moi trois cents francs . . . et tout le verger est à vous.

PRENTOUT *à Hortense, doucement.* Qu'est-ce que tu en penses, Hortense ?

HORTENSE. Ces messieurs Tubeuf ne sont pas trop 20 déraisonnables.

PRENTOUT. Alors . . . voilà trois cents francs.

(*Il sort son portefeuille et compte la somme.*)

DÉDÉ *encaissant.* Merci, monsieur le commissaire.

JOJO *mis en appétit * et regardant la campagne.* Vous 25 ne voulez pas acheter aussi un petit champ de pommes de terre ?

PRENTOUT. Lequel ?

JOJO. Celui qui est à côté du verger.

HORTENSE *regardant.* Ce sont des pommes de terre ? 30

6. *way down there !*
25. *his appetite aroused*

JOJO *avec assurance.* Oui, madame.

PRENTOUT. C'est à vous aussi ?

DÉDÉ *modestement.* Mais oui.

PRENTOUT. Vous êtes des Crésus ! *

5 DÉDÉ *sans bien comprendre.* A peu près.

PRENTOUT *doucement, à sa femme.* Qu'est-ce que tu en penses, Hortense ?

HORTENSE. Que ferons-nous d'un champ de pommes de terre ?

10 JOJO *simplement.* Des frites ! *

HORTENSE. Mais il y a de quoi nourir un régiment !

DÉDÉ. Vous inviterez des amis.

HORTENSE. Ce sera trop cher !

DÉDÉ *généreusement.* Tenez ! donnez-moi encore deux 15 cents francs . . . et le champ de frites . . . est à vous.

JOJO. Comme cela, nous n'aurons plus à nous occuper de rien.

PRENTOUT *après avoir consulté sa femme du regard.* Eh bien . . . topez-là ! J'accepte.

20 (*Il sort encore une fois son portefeuille et recompte.*)

DÉDÉ *encaissant.* Merci, monsieur le commissaire.

JOJO *décidément mis en appétit, regarde à la fenêtre.* Vous n'avez plus besoin de rien ?

PRENTOUT. Pour l'instant ! . . . c'est suffisant.

25 HORTENSE. Pour le mobilier . . . vous nous laisserez tout ce qui est ici ?

JOJO *avec regret.* Mon Dieu . . . oui.

DÉDÉ *à Jojo.* Est-ce que tu ne voulais pas emporter quelques objets ?

30 JOJO *commençant à comprendre.* Ah ! oui . . . des souvenirs.

4. *You two are as rich as Crœsus !* 10. *Make French fried potatoes !*

PRENTOUT. Ne vous gênez pas.

HORTENSE *prévenante.* Le portrait de monsieur votre père, sans doute ?

DÉDÉ. Heu ! heu ! Ma foi . . . non.

JOJO *positif.* Ce serait plutôt la pendule . . . 5

DÉDÉ. Oui . . . c'est vrai . . . la pendule ! la pendule de notre père !

JOJO. Malheureusement . . . elle est un peu lourde.

DÉDÉ *la soupesant.* Il vaut mieux la laisser.

PRENTOUT. Elle ne nous gêne pas. 10

DÉDÉ *réfléchissant.* A moins que . . . Monsieur le commissaire a une auto . . . S'il voulait bien nous accompagner jusqu'à la gare . . .

PRENTOUT. Mais avec plaisir.

JOJO *s'épongeant le front.* Nous craignons vraiment 15 d'abuser . . .

HORTENSE. Mais non, mais non. Nous serons ravis de vous être agréables.

DÉDÉ. Dans ces conditions . . . nous pourrions emporter tout ce qui nous intéresse . . . une fois pour toutes. 20 Et après, vous seriez tranquilles.

PRENTOUT. Comme vous voudrez.

DÉDÉ. Alors . . . si vous le permettez . . . nous allons, mon frère et moi, faire notre petite inspection.

PRENTOUT *riant.* Faites comme chez vous ! * 25

DÉDÉ. Ce ne sera pas long.

(*Ils sortent tous les deux par la porte du fond.*)

25. *Make yourselves at home !*

SCÈNE V

PRENTOUT, HORTENSE

HORTENSE. Quels braves jeunes gens !

PRENTOUT. Mille francs la maison . . . C'est une affaire ! *

HORTENSE. Je le crois.

5 PRENTOUT *enthousiaste.* Elle vaut au moins le double. Huit chambres à coucher, un salon, une salle à manger, une salle de bains . . .

HORTENSE *prudemment.* Ne manifeste pas trop ton enthousiasme . . .

10 PRENTOUT. Parbleu !

HORTENSE. Nous pourrions peut-être la leur acheter . . .

PRENTOUT. J'y ai pensé.

HORTENSE. Nous avons déjà un bail . . .

15 PRENTOUT. A un prix ridicule.

HORTENSE. Pour l'achat, nous verrons plus tard.

PRENTOUT. Et ce verger . . . et ce champ ! Nous serons nourris toute l'année. Et j'en vendrai au moins . . . pour le double de ce que j'ai payé !

20 HORTENSE. Le double ! Tu veux rire. Sais-tu combien vaut la pomme de terre, à Paris ?

PRENTOUT. Ma foi, non !

HORTENSE. Deux francs le kilo.

PRENTOUT. Et il n'y en a pas beaucoup dans un 25 kilo !

HORTENSE. Et les poires ! Sais-tu combien je les paie au marché ?

PRENTOUT. Non.

3. *It's a real bargain !*

HORTENSE. Trois francs la livre! Et bien moins belles!

PRENTOUT. Et nous en avons là . . . à nous! je ne sais combien de kilos. Au fond . . . c'est bien extraordinaire! . . . 5

HORTENSE. Quoi? Qu'est-ce qui est extraordinaire? De trouver des gens raisonnables?

PRENTOUT. Oui! . . . Et aussi accomodants.

HORTENSE. Attention! Les voilà . . .

SCÈNE VI

Les Mêmes, DÉDÉ, JOJO

Dédé et Jojo reparaissent les bras encombrés de paquets: Jojo porte une lourde valise en cuir jaune visiblement garnie et un bronze important sous le bras. Dédé porte avec précaution deux pendules imposantes.

PRENTOUT *levant les bras au ciel en les voyant.* Mais 10 vous déménagez toutes les pendules!

DÉDÉ *consolant.* Il y a encore un réveil dans la cuisine.

JOJO *même jeu.* Et un œil de bœuf dans la salle à manger. 15

PRENTOUT. C'est heureux!

DÉDÉ. Ça . . . ce sont des souvenirs . . .

HORTENSE. Vous avez le culte des souvenirs . . .

DÉDÉ *noblement.* C'est notre faiblesse . . .

HORTENSE. Je suis tout à fait comme vous. 20

PRENTOUT. Vous avez de la chance que j'aie mon auto.

HORTENSE. Et vous allez à Châteauroux?

DÉDÉ. Oui, madame. Nous avons un train à 4 heures 18. 25

PRENTOUT. Il est quatre heures . . . Nous avons juste le temps.

JOJO. C'est vrai ! Filons . . .

PRENTOUT. Eh bien . . . en voiture. La voiture de
5 ces messieurs est prête.*

DÉDÉ. Si on m'avait dit que je voyagerais . . . aujourd'hui . . . en invité ! . . . dans l'auto du commissaire . . . je ne l'aurais pas cru.

HORTENSE. C'est l'imprévu de la vie ! *

10 PRENTOUT *se précipitant pour les soulager un peu.* Je vais vous aider à déménager tout cela !

DÉDÉ. Monsieur le commissaire est trop gentil ! S'il voulait seulement se charger de la pendule qui est sur la cheminée.

15 PRENTOUT *prenant avec précaution la lourde pendule du salon.* Mais avec plaisir !

JOJO *à part, à Dédé.* Tu l'emportes aussi ?

DÉDÉ. Bien entendu . . . la pendule de papa ! (*A Prentout.*) Mais vraiment . . . nous sommes confus . . .

20 (*Ils se dirigent tous trois, les bras chargés, vers la porte. Prentout est le premier, Dédé le second, Jojo ferme la marche.*)

HORTENSE *les regardant passer.* Laissez donc ! Ça ne lui fera pas de mal de travailler un peu . . .

25 DÉDÉ *gouailleur.* Oh ! monsieur le commissaire ! . . . Si on peut dire ! * . . . (*S'inclinant devant Hortense.*) Au revoir, madame.

JOJO *s'inclinant également.* Au revoir, madame.

HORTENSE *gracieuse et souriante.* Au revoir, mes-

5. *Gentlemen, the car awaits.*
9. *Life is full of unexpected events.*
26. *How can one say such a thing !*

sieurs . . . Au revoir . . . Et à bientôt, j'espère . . . Vous serez toujours les bienvenus ici.

JOJO. Merci, madame . . . merci . . . mais nous n'abuserons pas . . . (*Prentout est sorti. On l'entend crier d'en bas:* En voiture . . . en voiture ! . . .) 5

JOJO ET DÉDÉ *se hâtant à leur tour.* Voilà, monsieur le commissaire . . . Voilà !

(*Hortense se met à la fenêtre. On entend le ronflement du moteur que Prentout vient de mettre en marche. Coup de klakson.*) 10

HORTENSE *à son mari.* Tu ne seras pas longtemps parti ?

VOIX DE PRENTOUT. La gare est à 200 mètres . . . j'en ai pour cinq minutes.*

HORTENSE. Je t'attends ! . . . Au revoir, messieurs. 15

VOIX DE DÉDÉ ET DE JOJO. Au revoir, madame . . . au revoir ! . . . A bientôt !

(*Hortense agite son mouchoir un instant . . . puis elle rentre dans le salon, jette un coup d'œil circulaire sur la pièce, enlève posément son chapeau devant 20 la glace et passe dans la chambre à côté. Ce petit jeu de scène devra durer une minute à peine.*)

SCÈNE VII

HORTENSE *seule, puis* TUBEUF

Dès qu'elle est sortie, la porte du fond s'ouvre brusquement et un homme paraît dans l'encadrement.

Cet homme, c'est Tubeuf, le véritable propriétaire . . . Alcide Tubeuf, boucher en gros: figure rubiconde, col de chemise bleue ouvert, veston ample, gros souliers, la trique à la main, l'air menaçant. Il s'arrête sur le seuil et écoute.

14. *It will take me only five minutes.*

A ce moment on entend, dans la chambre à côté, Hortense qui commence à chanter éperdûment:

Et j'aime à respirer
L'air pur de tes montagnes...
Tra la... la la la la...
Tra la... la la la la...

5 (*Tubeuf écoute, bouche bée, et Hortense paraît, en continuant de chanter.*)

Tra la... la la la

(*Elle voit Tubeuf, s'arrête brusquement et pousse un cri d'effroi.*)

10 Ah!

TUBEUF *rudement.* Qu'est-ce que vous f...z * ici?

HORTENSE *choquée, cette fois.* Oh!

TUBEUF *même jeu.* Qu'est-ce que vous f...z ici?

HORTENSE *se ressaisissant.* Et vous?

15 TUBEUF *interloqué.* Moi?

HORTENSE. Oui... vous! qui entrez chez les gens...

TUBEUF. Moi! j'entre chez les gens...

HORTENSE. Le chapeau sur la tête!

TUBEUF. Eh bien ça... c'est un peu fort!

20 HORTENSE. Qui êtes-vous?

TUBEUF. Et vous?

HORTENSE. Je suis madame Prentout... et mon mari est commissaire de police de Villeneuve-les-Roses,* près Paris... Ça vous suffit, j'espère.

25 TUBEUF *que ça n'impressionne pas.* Et qu'est-ce que vous fichez chez moi? *

11. *What the devil are you doing here?* (Cf. p. 95, l. 7.)

23. A name intended to sound like the name of a suburban development.

26. *Fichez* is a little milder expression than *f...z* above, with the same sense.

HORTENSE. Chez vous ? . . . Vous êtes ivre, mon bonhomme ! . . .

TUBEUF. Comment . . . je suis ivre ?

HORTENSE. Je suis ici chez moi.

TUBEUF *abasourdi.* Chez vous ? 5

HORTENSE. Dans une villa que nous venons de louer . . .

TUBEUF *les yeux ronds.* Que vous venez de louer ? . . . A qui ?* . . .

HORTENSE. Aux propriétaires. 10

TUBEUF. Au propriétaire ?

HORTENSE. Ces messieurs Tubeuf . . .

TUBEUF. Ces messieurs Tubeuf ! . . . Qu'est-ce que c'est que cette histoire ? Sachez qu'il n'y a ici qu'un Tubeuf . . . et c'est moi. 15

HORTENSE. Vous vous appelez aussi Tubeuf ?

TUBEUF. Oui, madame.

HORTENSE. Et puis après ?

TUBEUF. Comment . . . « et puis après ? »

HORTENSE. Il y a plus d'un âne à la foire qui s'appelle Martin.* 20

TUBEUF *vexé.* C'est possible. Mais il n'y a ici qu'un Tubeuf . . . boucher en gros . . . adjoint au maire du pays . . . et propriétaire de cette villa.

HORTENSE. Vous prétendez être le propriétaire de cette villa ? 25

TUBEUF. Oui, madame.

HORTENSE. Vous tombez mal, monsieur !

TUBEUF. Pourquoi ?

9. *From whom ?*
21. A proverb. "There are more Jacks than one at the fair." *I.e.* many people have the same name.

HORTENSE. Parce que les véritables propriétaires de cette villa sortent d'ici.[2]

TUBEUF *goguenard.* Ah, bah!

HORTENSE. A l'instant même.

5 TUBEUF. Mais, pardon!... Sur quoi vous basez-vous pour dire que ce sont les véritables propriétaires?

HORTENSE. Oh, monsieur... il y a des airs de vérité qui ne trompent pas.

TUBEUF *ironique.* Tiens!... Tiens!...

10 HORTENSE. Mon mari est commissaire de police... et il s'y connaît en physionomies!

TUBEUF. On ne le dirait pas.

(*A ce moment, les yeux d'Hortense tombent sur le portrait qui est sur le guéridon. Elle le regarde*
15 *avec attention, regarde Tubeuf.*)

HORTENSE. Ah! mon Dieu...

TUBEUF. Quoi donc?

HORTENSE. Le portrait!...

TUBEUF. Eh bien?...

20 HORTENSE. Il vous ressemble!

TUBEUF. C'est assez normal. C'est moi qui ai posé...

HORTENSE *affolée et pressentant la vérité.* Mais alors ... les autres? Qui étaient-ils?

25 TUBEUF. Ça!... Je ne sais pas.

HORTENSE. Que faisaient-ils, ici?

TUBEUF. Je me le demande!

HORTENSE. Ils ont dit qu'ils venaient chercher quelques souvenirs...

30 TUBEUF *sans comprendre.* Des souvenirs?

2. *have just this moment left here.* (Note this vivid use of the present for a recent past.)

HORTENSE *montrant la cheminée.* La pendule !

TUBEUF *regardant la cheminée vide.* La pendule ! . . . Ma pendule ! . . . Nom d'une brique !* . . . Où est ma pendule ?

HORTENSE *accablée.* Ils l'ont emportée ! 5

TUBEUF *levant les bras au ciel.* Mais on m'a cambriolé !

HORTENSE *penaude.* Ils ont emporté aussi celles des deux chambres ! . . .

TUBEUF *avec éclat.* Je suis dévalisé ! 10

HORTENSE. Et le bronze de la salle à manger . . .

TUBEUF. Comment ont-ils pu emporter tout cela ?

HORTENSE. C'est mon mari qui les a conduits à la gare . . .

TUBEUF. Votre mari ? 15

HORTENSE *effondrée.* En voiture !

TUBEUF. Mais vous êtes des complices ! . . .

(*On entend à ce moment le klakson de la voiture.*)

HORTENSE *sans ressort.* Mon mari ! . . .

TUBEUF. Ah ! il arrive bien, celui-là ! * 20

(*Il brandit avec force sa trique de boucher et semble attendre l'ennemi.*)

VOIX DE PRENTOUT. Coucou ! . . . C'est moi ! . . .

(*On entend un bruit de pas . . . et Prentout, guilleret, joyeux, le chapeau cascadeur, fait son entrée. Il* 25 *ne voit pas tout d'abord Tubeuf.*)

3. *Good gosh !*
20. *It's about time he came !* (Cf. p. 45, l. 16)

SCÈNE VIII

Les Mêmes, PRENTOUT

PRENTOUT. Ça y est ! Je viens de les mettre en voiture. Il était temps. Le train démarrait.

HORTENSE. Ah, tu en fais de belles * . . .

PRENTOUT *stupéfait.* Moi ? . . . Qu'y a-t-il ?

5 (*Il aperçoit Tubeuf et interroge sa femme du regard.*)

HORTENSE. Je te présente M. Tubeuf.

PRENTOUT *aimable et étonné.* M. Tubeuf ? . . . Ah ! monsieur est un parent de nos propriétaires . . . sans doute ?

10 TUBEUF *rogue.* Un peu !

HORTENSE. Monsieur est le « propriétaire » de la villa.

PRENTOUT. Le propriétaire ? . . . Mais alors . . . les autres ?

HORTENSE. Des filous . . . tout simplement !

15 PRENTOUT. Des filous ! . . . Comment cela ?

HORTENSE *reprenant du ton.** C'est cependant bien clair . . . Tu t'es fait rouler comme un enfant !

PRENTOUT. Moi ?

HORTENSE. Ah ! Pour du flair . . . tu peux dire que 20 tu as du flair !*

PRENTOUT. Je ne comprends pas.

HORTENSE *supérieure et impérative.* Regarde ce portrait . . . et regarde monsieur !

PRENTOUT. Diable ! diable ! diable ! . . . Ils m'avaient 25 dit que vous étiez mort.

TUBEUF. Que j'étais mort ? . . . Moi ?

3. *you've done a nice piece of work.*
16. *raising her voice.*
20. *Speaking of keen noses . . . you can claim you've got one, all right !* (Cf. p. 104, l. 24)

HORTENSE. Et tu l'as cru ? . . . Jobard, que tu es.

PRENTOUT. Et moi qui leur ai versé un an de loyer d'avance.

HORTENSE *levant les bras au ciel.* Un an de loyer ! . . . A des voleurs ! 5

TUBEUF *goguenard.* Et vous êtes commissaire de police ?

PRENTOUT *penaud.* Oui, monsieur.

TUBEUF *s'avançant sur lui, menaçant.* Et c'est vous qui avez transporté mes pendules à la gare ? 10

PRENTOUT *reculant prudemment.* C'est ça qui est effrayant !

HORTENSE. Tu peux le dire !

TUBEUF *en fureur.* Que la police n'arrête pas les voleurs . . . passe encore ! Mais qu'elle les aide à 15 cambrioler les villas . . . ça c'est un comble !

HORTENSE. Mon mari a cru qu'ils étaient les propriétaires . . .

TUBEUF. Ça ne se passera pas ainsi * . . . Vous allez m'accompagner chez le maire. 20

HORTENSE *à son mari.* Ah ! . . . Tu travailles bien !*

PRENTOUT *timidement.* Mais c'est toi ! . . .

HORTENSE. Comment . . . c'est moi ?

PRENTOUT. Pouvais-je me douter ! . . .

TUBEUF. Quand on est commissaire de police, on 25 devrait savoir discerner une fripouille d'un honnête homme . . .

HORTENSE *dégageant sa responsabilité.* Qu'on prenne un innocent pour un coupable . . . c'est normal ! Mais le contraire ! . . . Non ! C'est trop bête. 30

19. *You're not going to get out of it that way.*
21. *What a fine job you've done !*

PRENTOUT *pour s'excuser.* Mais, ma chérie . . . je suis en vacances . . .

TUBEUF. Moi, dans toute cette histoire, je ne vois qu'une chose ! Vous avez prêté la main au cambriolage
5 de ma maison . . . et je vais déposer une plainte !

PRENTOUT *suppliant.* Vous ne ferez pas cela !

TUBEUF. Je vais me gêner !*

HORTENSE. Tu vois, Alfred, dans quel pétrin tu nous mets !

10 PRENTOUT. Je vais être couvert de ridicule . . . suspecté, peut-être ! Je connais la police ! Je suis déshonoré.

HORTENSE *conciliante.* Allons ! Pas de grands mots.* Tout cela, au fond, n'est pas si grave ! . . .

15 TUBEUF. Vous trouvez ?

HORTENSE *même jeu.* Nous avons été victimes d'habiles filous . . . tous les trois !

TUBEUF. Comment . . . tous les trois ?

HORTENSE. Et, en arrivant à propos, nous avons
20 sauvé votre mobilier.

PRENTOUT. Mais c'est vrai !

HORTENSE *même jeu.* Aussi, monsieur Tubeuf, nous faisons appel à vos bons sentiments.

PRENTOUT *en écho.* Oui, nous faisons appel . . .

25 HORTENSE *sévèrement.* Laisse-moi parler, Alfred ! Tu as fait assez de bêtises pour aujourd'hui. (*A Tubeuf, la bouche en cœur.*) Somme toute . . . la villa nous plaît . . .

PRENTOUT. Elle nous plaît.

30 HORTENSE *lyrique.* Elle est charmante . . . bien si-

7. *You don't think so !* or *I should worry !*
14. *Let's not be melodramatic.*

tuée . . . la vue est belle . . . l'air sain . . . la campagne jolie. Nous restons amateurs . . . Voulez-vous nous la louer ?

TUBEUF *flatté*. Je ne dis pas non.

HORTENSE *à son mari*. Tu n'auras qu'à reverser mille francs à M. Tubeuf . . . et tout sera dit. 5

TUBEUF. Comment . . . mille francs !

HORTENSE. Le prix du loyer.

TUBEUF *sèchement*. Ma villa vaut quatre mille !

HORTENSE *bondissant*. Quatre mille ! 10

TUBEUF *même jeu*. C'est son prix.

HORTENSE. Vous voulez, monsieur Tubeuf, exploiter la situation . . . Ce n'est pas bien.

PRENTOUT *en écho*. Non . . . ce n'est pas bien !

TUBEUF. Elle a toujours été louée ce prix-là.* 15

HORTENSE *aigre*. Quatre mille francs ! . . . cette bicoque isolée . . . perdue dans la brousse . . .

TUBEUF *vexé*. Comment . . . dans la brousse ?

HORTENSE *même jeu*. Loin de tout . . . au bout du monde . . . avec une vue ridicule sur des champs incultes . . . 20

TUBEUF. Oh ! mais . . . dites donc . . .

HORTENSE *même jeu*. Une villa étriquée . . . banale . . . impersonnelle . . . sans caractère . . . avec un pauvre mobilier de maison meublée ! * . . . 25

TUBEUF. Nous ne nous entendrons jamais ! . . . Allons voir le maire !

HORTENSE *amèrement*. Vous nous feriez regretter les autres propriétaires.

TUBEUF *stupéfait*. Quels propriétaires ? 30

15. *rented at that price.*
25. *with terrible furniture typical of a rented house !*

HORTENSE. Ces MM. Tubeuf fils.* Ils étaient plus raisonnables que vous.

TUBEUF. Parbleu ! Pour ce que ça leur coûtait ! *

PRENTOUT *timidement.* Me tiendrez-vous compte au
5 moins de l'argent versé ?

TUBEUF. Jamais de la vie !

PRENTOUT *même jeu.* Et pour les pendules ... les souvenirs ?

TUBEUF. Vous m'en rembourserez le prix.

10 PRENTOUT. Ce sont des souvenirs dont je me souviendrai.

HORTENSE. Que cela te serve de leçon, Alfred !

TUBEUF. Enfin, il faut en finir ! ... Oui ou non, acceptez-vous mes conditions ?

15 PRENTOUT *accablé.* Il faut bien !

TUBEUF *autoritaire, leur montrant les deux chaises.* Asseyez-vous. (*Hortense et Prentout reprennent place, au commandement, de chaque côté du guéridon. Tubeuf s'assied entre eux. Il sort de sa poche un contrat de loca-*
20 *tion tout préparé et inscrit les clauses essentielles.*) Voici l'engagement ... Nous disons donc ... 4.000 francs de loyer ... plus les charges.

PRENTOUT *accablé.* Ah ! il y a des charges ...

TUBEUF. Il y a toujours des charges ... 10 pour cent.

25 PRENTOUT *même jeu.* Bon.

HORTENSE. C'est une honte !

TUBEUF *impitoyable, écrit.* Vous verserez six mois à titre de garantie ... plus le trimestre d'avance.

PRENTOUT *sans ressort.* J'accepte.

30 TUBEUF *même jeu, parcourant son contrat.* Nous établirons un inventaire en règle.

1. *Those younger Tubeuf brothers.* 3. *For all it cost them !*

PRENTOUT. Si vous voulez.

TUBEUF *même jeu.* Nous ferons dresser un état des lieux par mon architecte, à vos frais.

HORTENSE *pointue.* Bien entendu !

TUBEUF. Et vous paierez . . . comme il est d'usage . . . la casse et les réparations. 5

PRENTOUT. Ah ! je vois bien, maintenant, que vous êtes le propriétaire !

HORTENSE. Ces MM. Tubeuf fils étaient plus accomodants . . . 10

PRENTOUT. Ah ! Ces deux fripouilles . . . je les retiens ! *

HORTENSE. Quels bandits ! Et dire que tu as invité ces gens-là à passer la nuit dans cette maison !

TUBEUF *riant cette fois de bon cœur.* Non ! . . . 15

(*Et il continuera de rire bruyamment pendant quelques répliques.*)

HORTENSE. Des apaches ! Mon Dieu, cet homme-là me fera mourir ! . . .

(*Elle a une petite crise de larmes nerveuses.*) 20

PRENTOUT. Allons, remets-toi, Hortense . . . Remets-toi !

HORTENSE. Ah ! Ils ne m'ont jamais inspiré confiance . . . à moi !

PRENTOUT. Mais, voyons, Hortense . . . rappelle-toi . . . 25

HORTENSE. Ils avaient des têtes d'assassins !

TUBEUF *reprenant son sérieux, impératif, met le contrat sous le nez de Prentout et lui tend son stylo.* Lu et approuvé. Signez !

PRENTOUT *docile, prend le stylo et signe en murmurant.* 30
4.000 francs ! . . .

12. *I'll get them for this !*

HORTENSE *levant les bras au ciel.* 4.000 francs !!!...

PRENTOUT *complètement abattu.* Et la sauce !* ...

Le rideau commencera à tomber lentement à partir du moment où Prentout murmure: « 4.000 *francs !* »

5

RIDEAU

2. *And what goes with it!* (*I.e.* the constant quarrels with his wife which will follow.)

LE PÈLERIN

PIÈCE EN UN ACTE

par

CHARLES VILDRAC

A

ANDRÉ BACQUÉ

CHARLES VILDRAC

Charles Vildrac, born in Paris in 1882, began, as did Jules Romains, as a poet, and like Romains again was connected in his youth with that group of young writers and artists who established themselves in 1907 near Créteil in a sort of socialistic community that has since become very famous under the name of "L'Abbaye." But while Romains was only a friend and frequent visitor to "L'Abbaye" during the time that he was a student, Vildrac, with Georges Duhamel, the celebrated novelist, and four other young men, lived and worked there, printing his early verses himself on the press which the community owned. This rather romantic attempt to escape from the high cost of living and the commercialization of much of the literary production of the near-by city of Paris lasted less than two years, but the celebrity several of its members have achieved in later life makes it one of the most interesting literary groups of modern France.

In 1912 Vildrac turned to the drama, and it is in this field that he has had his most brilliant success. Never a prolific writer, his plays number under ten, but the originality of the author's conception of the dramatic plot, his subtle exposition of everyday human psychology, his total lack of artificiality and "staginess" have made these few plays masterpieces of the contemporary stage. His first play, *L'Indigent*, showed the way which he has followed ever since. It is a play almost without a plot, showing merely the psychological reactions of two men, one of whom fails to understand the motives of the other in coming to see him. *Pacquebot Tenacity* (1919) and *Michel Auclair* (1923) developed this technique on a larger scale, and *Le pèlerin*, first presented in 1923 by Georges Pitoëff, one of the most vital actors and experimental producers of modern Paris, is an excellent example of Vildrac's method and style. Like his other plays, it is rather a study in normal psychology than what we are used to call drama. It is typical of his "*théâtre du silence*," in which the action takes place inside the characters only, and is expressed by silence as much as by words. In spite of the absence of intrigue, such is the author's genius that the apparent commonplaceness of the situation becomes significant and stirring. The play has been accepted as one of the masterpieces of the contemporary stage and is in the repertory of the Comédie Française. Since *Le pèlerin*, Vildrac has produced several plays, the most interesting of which is *La brouille* which had a great success in 1930.

PERSONNAGES

ÉDOUARD DESAVESNES, *50 ans.*
Madame veuve IRMA DENTIN *née* DESAVESNES, *52 ans.*
DENISE DENTIN, *17 ans.* } *Filles de*
HENRIETTE DENTIN, *24 ans.* } Mme DENTIN.

Un intérieur bourgeois en province. Au fond, deux fenêtres garnies de cantonnières et de doubles-rideaux en damas. Devant les fenêtres, une jardinière où s'alignent des plantes vertes en pots. Portes à droite, à gauche et au fond à droite.

Buffet, cheminée avec pendule et chandeliers, table ronde recouverte d'un tapis à franges, cache-pot et plante grasse sur la table; sièges, guéridon.

LE PÈLERIN

SCÈNE I

DENISE, *puis* DESAVESNES

Au lever du rideau, Denise entre par la porte de droite; elle tient un pot à eau et va, tout en chantant, arroser les plantes de la jardinière.

DENISE *chantant le cantique connu.*

Ave Maria stella,*
Dei Mater alma
Atque semper virgo
Tra la la la la la. 5

(*Poursuivant l'air du cantique, auquel elle adapte tant bien que mal des paroles improvisées:*)

J'ai arrosé trop vite,
Ça va couler sur le parquet . . .

(*Elle regarde sous la jardinière.*) 10

Non.

(*Elle va arroser la plante grasse, sur la table, à petits coups, en chantant lentement.*)

Arlequin * marie sa fille !
Grosse et grasse et bien gentille; 15
Il la marie à Pierrot,
Ah ! riguinguette !*
Il la marie à Pierrot,
Ah ! . . .

2. *Hail, Mary, star* (of the morning), *kind Mother of God and always a virgin.*

14. Harlequin and Pierrot are two clowns of the Italian *commedia dell'arte.*

17. Merely a refrain, like " Hey nonny, nonny."

(*On frappe; elle s'interrompt, pose son pot à eau sur le buffet et va ouvrir.*)

Monsieur?

DESAVESNES *entrant*. Bonjour, Mademoiselle. Est-
5 ce que Madame Dentin est là?

DENISE. Elle est sortie, Monsieur.

DESAVESNES *indifférent*. Ah!

(*Sans bouger, il examine un moment l'intérieur avec une sorte d'avidité émue.*)

10 Dans combien de temps doit-elle rentrer?

DENISE. Je ne sais pas, Monsieur; au plus tard dans une heure; peut-être avant . . . Puis-je vous demander . . .

DESAVESNES *son regard s'est arrêté sur Denise qui*
15 *recule un peu, interdite*. Je ne me trompe pas: Sa fille Henriette?

DENISE. Non! Sa fille Denise.

DESAVESNES. Oui, enfin: La plus jeune?

DENISE. Oui, Monsieur.

20 DESAVESNES. Déjà une jeune fille! Eh bien, Denise, je suis ton oncle, ton oncle Édouard Desavesnes.

(*Il avance jusqu'à la table sur laquelle il pose son chapeau.*)

DENISE *troublée*. Ah! . . .

25 DESAVESNES *allant à elle*. Permets que je t'embrasse, ma nièce. (*Il l'embrasse.*) Tu ne peux pas te souvenir de moi. La dernière fois que nous nous sommes vus, tu avais . . . deux ans, trois ans . . . Mais ta maman a dû quelquefois te parler de son frère . . .
30 brouillé avec elle, brouillé . . . avec toute la famille Dentin?

DENISE *allant fermer la porte*. Oui . . .

DESAVESNES. Où est-elle, ta mère?

DENISE. Elle est chez M. le Curé, avec Henriette, à une réunion de l'Association des Dames Catholiques.*

DESAVESNES. Fichtre! Elle va bien? Ta sœur aussi? 5

DENISE. Très bien ... J'ai envie d'aller les chercher, mais ça m'ennuie de vous laisser la garde de la maison ... Notre bonne est partie pour trois jours dans son pays.

DESAVESNES *il s'est mis à examiner chaque objet avec* 10 *une émotion visible.* Ne va pas chercher ta mère, mon enfant; il faut la laisser à ses occupations ... J'ai le temps ... Je suis venu revoir aussi la maison.

DENISE. Il y a déjà plus d'une heure qu'elles sont parties, mais la réunion peut durer encore assez long- 15 temps.

DESAVESNES. Voilà un tapis de table qui est bien sombre. J'avais gardé la vision d'un tapis en toile cirée, à carreaux rouges et blancs; un tapis du temps de mon enfance. Je faisais mes devoirs dessus. Entre 20 deux multiplications, je traçais des rosaces à l'encre, dans les carreaux rouges. Je les effaçais après avec ma manche ... en crachant. (*Il rit et Denise sourit par contenance.*) Tiens! le buffet occupe la place du piano. Et le piano, où est-il? 25

DENISE. Nous l'avons prêté au patronage, pour les matinées.

DESAVESNES. Ah! il y a aussi un patronage, maintenant? Le curé actuel se remue. Il est jeune?

DENISE. Quarante, quarante-cinq ans. 30

DESAVESNES. Je ne reverrai donc pas le vieux piano.

3. *Catholic Ladies' Guild.*

Tant pis . . . (*Il s'approche de la cheminée.*) La pendule ! Mon Dieu ! La pendule de grand'mère ! Et elle marche ! Est-ce qu'elle s'étrangle toujours avant de sonner ?

5 DENISE *riant.* Oui ! Vous avez de la mémoire !*

DESAVESNES. Denise, je suis né ici; j'y ai vécu jusqu'à vingt ans. Quand j'étais petit, ma place à table était ici; Maman était là, mon père là; ta mère, en face de moi: On nous séparait pendant les repas

10 parce que nous nous taquinions. Je lui jetais de la mie de pain dans son verre; elle la repêchait avec le manche de sa fourchette et me l'envoyait dans mon assiette. J'essayais, bien entendu, de la lui rendre; ça finissait par des cris.

15 Nous ne nous sommes jamais bien entendus, ta mère et moi. Elle a toujours été une personne plutôt . . . sérieuse. (*Un silence.*) Ces vieilles chaises ! (*Il empoigne à deux mains un dossier.*) Je me balançais dessus, à table, et je me faisais gronder.

20 DENISE *spontanément.* Moi aussi.

DESAVESNES *la regardant.* Tu ressembles à ta grand'mère Desavesnes.

DENISE. Mère le dit aussi . . . Mais asseyez-vous donc, mon oncle . . . Otez votre pardessus.

25 DESAVESNES. *Il ôte son pardessus et le pose sur une chaise.* Avant de m'asseoir, je voudrais bien regarder tout.

(*Il va à l'une des fenêtres, soulève le rideau, regarde.*)

DENISE *timidement, après l'avoir observé un instant.*

30 Vous n'avez peut-être pas déjeuné ?

(*Elle attend un moment la réponse qui ne vient pas.*)

5. *You certainly have a memory !*

Mon oncle, vous devez avoir besoin de prendre [1]...

DESAVESNES *se retournant brusquement et l'interrompant.* Déjeuné? Si, si, j'ai déjeuné; merci, je n'ai besoin de rien. Excuse-moi, mon enfant, je retrouvais la rue et les maisons d'en face ... Ils ont peint en marron le grand portail bleu de la mère Vigne; mais il y a toujours la glycine qui passe par-dessus.

DENISE *allant voir, près de lui, à la fenêtre.* Je n'avais jamais remarqué ces branches de glycine.

DESAVESNES. Tu crois cela? Sans doute, à ton âge, aurais-je dit ce que tu viens de dire. C'est seulement plus tard, quand tu voudras puiser dans ta mémoire, que tu découvriras tout ce qu'elle aura moissonné, malgré toi.

Qui habite maintenant la maison de la mère Vigne? Elle avait des enfants.

DENISE. C'est un vétérinaire qui est là. Je crois qu'il a acheté la maison.

DESAVESNES. Pauvre mère Vigne! Elle m'appelait pour me faire goûter son cidre.

DENISE. Vraiment, mon oncle, vous ne voulez rien prendre?

DESAVESNES. Non, vraiment.

DENISE. Pourtant, vous avez dû arriver de Paris par le train d'une heure et demie?

DESAVESNES. Par le train de ... en effet; une heure et demie. J'ai déjeuné dans le train. Tu dois te demander ce qui m'amène? Oh! c'est simple: J'ai voulu faire un pèlerinage ici; un rapide pèlerinage. Je vais quitter la France et, comme je ne suis pas jeune,

1. *you must need something to eat...* (Note later examples in this play of *prendre* meaning "to take something to eat or drink.")

il se peut que je n'y revienne jamais; je n'ai pas pu résister à l'envie de revoir le pays avant de partir et cette maison et ce qui me reste de famille * . . . Comprends-tu ?

5 DENISE *impressionnée.* Oui !

DESAVESNES *après un grand soupir.* Dès ma descente du train, je me suis aperçu qu'il faut faire appel à tout son courage pour affronter tant de souvenirs . . . Cette jardinière n'y était pas, de mon temps. C'est 10 nouveau ?

DENISE. Moi, je l'ai toujours connue.

DESAVESNES. Ma mère mettait ses géraniums à la fenêtre et leur faisait passer l'hiver dans le cellier . . .

(*Un silence.*)

15 Je suis heureux, Denise, de n'avoir trouvé que toi en arrivant ici. Non pas que j'appréhende de voir ta maman; ne va pas croire cela. Il est vrai que depuis son mariage, nous n'avons jamais pu nous voir sans nous disputer. Mais après tant d'années, les querelles 20 sont mortes et j'aurai plaisir à l'embrasser.

Je voulais dire seulement qu'il est précieux pour moi de pouvoir, en entrant ici, m'abandonner un peu à mes impressions, sans leur donner d'autres témoins qu'une charmante petite nièce qui ne fait pas partie de mes 25 souvenirs et qui grandit ici comme j'y ai grandi moi-même.

Il faut te dire que tout à l'heure, avant de frapper à la porte, j'ai dû attendre, parce que j'avais la gorge trop serrée. J'ai fait quelques pas devant la maison. Mais 30 de t'entendre chanter si gaîment, ça m'a détendu d'un seul coup.

3. *what family I have left.*

DENISE *confuse.* Oh ! Je chantais des bêtises.

DESAVESNES *protestant.* Des bêtises ? Tu chantais « Arlequin marie sa fille. »

DENISE *de même, riant.* Oh !

DESAVESNES. C'est une très jolie chanson . . . (*soudain grave*). Dis-moi: Qui occupe maintenant cette chambre, la chambre de mes parents ? 5

(*Il désigne la porte du fond à droite.*)

DENISE. C'est Mère.

(*Après un instant de recueillement, Desavesnes va résolument à la porte. Il en tourne doucement le bouton; à ce moment, Denise l'a rejoint.*) 10

DESAVESNES *à mi-voix.* Tout seul, tu permets ?

DENISE *s'écartant vivement.* Oh ! pardon.

(*Desavesnes entre, laissant la porte ouverte. Denise va au buffet, l'ouvre et y range le pot à eau qui lui a servi à arroser. Puis elle va chercher le pardessus et le chapeau que Desavesnes a posés sur la table et va les accrocher à un porte-manteau en avant, à gauche. Elle va ensuite à la fenêtre du fond remettre en place un rideau que Desavesnes a tiré. Son jeu, lent, est coupé d'instants d'attente immobile où elle regarde vers la chambre. A la fin, comme elle quitte la fenêtre et revient en avant, Desavesnes apparaît pleurant, la main devant les yeux. Il tire la porte sur lui* * *et va jusqu'à la table. Il s'effondre sur une chaise en sanglotant. Denise se tient non loin de lui, debout, gauche, atterrée.*) 15 20 25

DENISE *d'une voix étranglée.* Mon oncle . . . Vous avez de la peine . . . 30

26. *He pulls the door to behind him.*

DESAVESNES *se tamponnant les yeux avec son mouchoir.* Ah ! Cela soulage . . . Je te demande pardon, mon enfant . . . Non, ce n'est pas ce qu'on peut appeler de la peine; car c'est bon aussi . . . C'est peut-être cela
5 que je suis venu chercher. (*Il regarde fixement devant lui.*) Rien, absolument rien de cette chambre n'est changé. Ç'a été comme si, d'un seul coup trente années de ma vie étaient abolies. Je me suis tout de suite accoudé au pied du lit comme j'en avais l'habitude . . .
10 J'ai regardé l'armoire à glace et j'ai entendu la voix de Maman: « Va me chercher une serviette, dans l'armoire », et je n'ai pas eu besoin de l'ouvrir, l'armoire, pour entendre le grincement de sa porte . . .

Avant que mon père mourût, j'allais là, presque tous
15 les soirs, lui faire la lecture, le livre posé sur la petite table; j'avais à peu près ton âge . . .

(*S'animant et souriant*). Et quelques années après, quand je rentrais, passé minuit, après avoir bu et blagué en fumant des pipes avec quelques dadais de
20 mon espèce, avant de monter me coucher, je passais toujours par ici pour voir si Maman dormait; elle aimait me savoir rentré.* Je laissais ma lumière ici pour qu'elle ne pût voir l'heure à cette pendule noire qui est sur sa commode. J'ouvrais doucement la porte et
25 je disais tout bas: « Tu dors ? » Elle me répondait presque toujours; je venais probablement de la réveiller. Alors j'allais l'embrasser . . .

Elle disait: « Comme tu as fumé ! Il doit être bien tard ! » Je lui donnais l'heure en trichant. Et il ar-
30 rivait que le lendemain elle me dît * en se retenant de

22. *to know that I was home.*
30. *And sometimes the next day she would say to me . . .*

rire: « Monstre ! Tu m'as monté le coup, cette nuit ! Tu m'as dit qu'il était onze heures, et tu n'étais pas dans ta chambre que * j'entendais sonner minuit ! »

DENISE *s'asseyant.* Vous rentriez à minuit ?

DESAVESNES. Quelquefois plus tard. En été, il nous arrivait d'aller * en bande à la pêche à Lochères. On se baignait à la fin de la journée et l'on soupait là-bas, à l'auberge près du pont, tu sais ?

DENISE. Non, je ne connais pas Lochères.

DESAVESNES *s'exclamant.* Tu ne connais pas Lochères ?

DENISE. J'ai des amies qui y vont et qui m'en ont parlé. Je sais que c'est très joli; mais il y a un bal et Mère trouve que . . .

DESAVESNES *l'interrompant.* Tu ne connais pas Lochères ! Comment est-ce possible ? C'est à huit kilomètres d'ici * par une route adorable. Mais il faut y aller, Denise ; c'est très beau ! Bien sûr qu'il y a un bal le dimanche ! Mais tu peux aller à Lochères en semaine. D'ailleurs, si les filles de ton âge ne dansent pas, qui donc dansera ?

DENISE. Nous n'allons presque jamais à la campagne. Mère et Henriette n'aiment pas marcher.

DESAVESNES. Vas-y seule ! Ta mère ne voudrait pas ?

(*Denise fait un signe négatif.*)

(*Un silence.*)

. . . Oui, nous soupions à l'auberge; nous en sortions vers les onze heures, légers comme au matin, si heureux

3. *you hadn't got to your room before I heard . . .*
6. *we used to go sometimes . . .* (Cf. p. 140, l. 30.)
17. *It is 8 kilometers away from here.*

de faire crier sous nos souliers, dans le grand silence, le sable de la route, de ne pas encore nous quitter, d'avoir cette bonne marche à faire. Arrivés sur le plateau, nous prenions un chemin de traverse dans les blés. Les cri-
5 cris chantaient jusqu'à l'horizon. Le ciel était tellement criblé d'astres, que cela te donnait une sorte de vertige. Tu te sentais en plein Univers.* Mais tu te demandais comment les étoiles filantes pouvaient passer dans tout ça * . . .

10 Chacun chantait sa chanson; ah ! la nuit sentait bon ! On aurait voulu qu'elle ne finît jamais . . .

DENISE. Est-ce que Mère allait avec vous ?

DESAVESNES. Très rarement. Elle donnait déjà dans les « Enfants de Marie * . . . »

15 (*Un silence.*)

DENISE *pensive.* J'aurais bien voulu avoir un frère; un frère qui rentre à minuit.

(*Desavesnes éclate de rire.*)

Il m'aurait peut-être emmenée à Lochères.

20 DESAVESNES. Dire que j'aurais pu t'y conduire, si le destin avait bien voulu que je fusse un peu plus effectivement ton oncle ! Ah ! nous aurions fait des excursions ensemble . . . Et l'étang des Clayes, tu le connais ? C'est tout près.

25 DENISE. Oui, nous y allons quelquefois; nous y sommes allées le mois dernier avec le Patronage.

DESAVESNES. Y a-t-il toujours, au bord de l'eau, la petite maison et le jardin de M. Blin ?

DENISE. Oui, ce sont des vanniers qui l'habitent.

7. *You felt as if you were right in the middle of the universe.*
9. *could find a way through all that* (the stars were so thick.)
14. A girls' club at the church.

Maman s'étonne toujours qu'il se soit trouvé des gens * pour habiter cette maison après que ce M. Blin s'est noyé là, un soir, au bout de son jardin, dans un accès de folie.

DESAVESNES. Mais non, pas dans un accès de folie ! 5

DENISE. Mais si, Maman nous l'a toujours dit.

DESAVESNES *se levant*. Il ne s'est pas noyé dans un accès de folie. La vraie histoire est trop simple et trop belle pour les gens. Ils n'en ont jamais lu de semblables dans les faits-divers de leur journal; elle dépassait leur 10 entendement, ils l'ont refusée.

Le père Blin, je l'ai connu et la mère Blin aussi. C'étaient de tendres vieilles gens qui avaient adopté une petite fille. M. Blin n'aurait pas fait de mal à une mouche. Il ne mangeait pas de viande et il buvait de 15 l'eau panée. Il adorait sa petite fille et la gâtait tant qu'il pouvait. Mais voilà qu'un jour,* elle fut si insupportable qu'il fut obligé de la gronder; de la gronder comme M. Blin pouvait gronder; enfin, de contrarier un de ses caprices. 20

La petite coquine pleura, bouda et alla se coucher sans avoir voulu manger sa soupe au lait, ce qui, déjà, bouleversa M. Blin. Tous les soirs, quand elle était couchée, elle appelait son père adoptif pour lui dire bonsoir. Ce soir-là, le pauvre vieux attendit cet appel avec une 25 véritable angoisse, tant il était malheureux d'avoir grondé cette petite. Mais il attendit en vain. Alors il alla lui demander dans sa chambre de faire la paix et de l'embrasser. Elle se tourna vers le mur sans répondre et s'endormit. C'était au crépuscule. Le père 30

1. *that people could be found . . .*
17. *But finally, one day . . .*

Blin s'en alla pleurer dans son jardin. Il pleurait à cause de sa petite fille; mais il avait eu beaucoup de malheurs dans sa vie, et peut-être que cette peine qu'il avait en réveilla d'autres, toutes les autres. Son jardin, 5 tu l'as vu, aboutit à l'étang où il se jeta, de désespoir, avant que sa femme ait pu l'en empêcher.

DENISE. Mon Dieu !

DESAVESNES. C'est elle qui m'a tout raconté.

Mais les gens d'ici n'ont jamais voulu croire que M. 10 Blin s'était noyé parce que sa petite fille n'avait pas voulu lui dire bonsoir. Ça les faisait rire.

(*Il se rassied.*)

DENISE *songeuse.* Je comprends si bien cela! Puisque le jour tombait, puisque l'eau était là par 15 malheur . . . Oh ! bien sûr, le lendemain, il ne l'aurait pas fait !

DESAVESNES *s'émerveillant.* Tu viens de dire ce: « Oh ! bien sûr » exactement comme ta grand'mère! (*Il la regarde et Denise lui sourit.*) Denise, nous devons 20 nous ressembler un peu, car nous tenons tous les deux de ma mère. (*Denise a un accès de rire muet, aussitôt réprimé.*) Pourquoi ris-tu ?

DENISE. Pour rien . . . Pardon, mon oncle; une pensée saugrenue . . .

25 DESAVESNES. Dis-moi ?

DENISE. Non . . .

DESAVESNES. C'est parce que je t'ai dit que je tenais de maman ? Oh ! je sais bien que je ne tiens pas tout d'elle.* Je ne lui dois que ce que j'ai de meilleur,* que 30 le peu qui vaille . . .

29. *I don't take after her in every way.*
29. *what is best about me . . .*

DENISE *fâchée.* Non, ce n'est pas pour cela !

DESAVESNES. C'est l'idée de ressembler à un bonhomme comme moi, qui te fait rire ?

DENISE *protestant.* Oh ! ne croyez pas cela, mon oncle ! 5

DESAVESNES *riant.* Mais si, je le crois !

DENISE. C'est tout autre chose: Quand vous m'avez dit que nous devions nous ressembler, je me suis rappelé un mot de Mère et c'est lui qui m'a fait rire; mais ce ne serait pas gentil de vous le répéter . . . 10

DESAVESNES. Te voilà pourtant forcée de le faire, sans cela je vais croire que c'est très grave.

DENISE *après un moment d'hésitation.* Je suis très rieuse et quand je me mets à rire aux éclats, Mère me dit . . . 15

(*Elle sourit, confuse.*)

DESAVESNES. Que dit-elle ?

DENISE. « Ne ris pas comme ça, c'est agaçant, tu me fais penser à mon frère. »

DESAVESNES *riant.* Ce n'est que cela ? Tu ne 20 m'apprends rien: Ta mère m'a dit elle-même assez de fois que mon rire l'agaçait. (*Avec une pointe de mélancolie.*) Et je te sais gré de cette occasion que tu lui donnes de penser à moi.

DENISE. Vous voyez, vous êtes fâché. 25

DESAVESNES. Pas du tout, mon enfant . . . Est-ce qu'elle parle de moi souvent ?

DENISE (*circonspecte*). Non . . . rarement . . . C'est de Père qu'elle nous entretient le plus volontiers. Elle ne manque pas une occasion de nous le donner en 30 exemple.

DESAVESNES. Je comprends cela: Dentin était un

homme pieux. (*Un silence.*) Et toi, Denise, es-tu pieuse ?

DENISE. Maman trouve que je ne le suis pas assez. Il est vrai qu'à côté de ma sœur, je n'ai pas l'air d'avoir
5 de religion. Je ne sais pas ce qui retient Henriette d'entrer au couvent.

DESAVESNES. C'est à ce point ?* Ainsi je crois comprendre qu'Henriette est une Dentin. Pour toi, je suis sûr que tu es une Desavesnes.

10 DENISE. On le dit . . .

DESAVESNES *après l'avoir observée.* Comme je suis heureux de connaître ma petite nièce qui a les yeux, les traits et la voix de Maman ! Tu dois certainement lui ressembler d'autre manière et tu peux t'en louer et t'en réjouir !
15 Je ne sais si ta mère a jamais bien compris Maman, qui avait un caractère opposé au sien et beaucoup plus jeune. Mais questionne sur la famille des vieilles gens d'ici; — ils te diront que je suis un vaurien, c'est possible — et ils te diront quel être exquis, quel cœur d'élite
20 était Madame Desavesnes.

DENISE. Je ne sais presque rien d'elle, n'ayant connu que grand'mère Dentin. Il paraît qu'elle était très gaie et très alerte ?

DESAVESNES *avec chaleur.* Elle était vivante, De-
25 nise, elle était vivante ! Elle abordait chaque être, chaque chose, chaque spectacle, chaque circonstance avec un élan spontané, sans rien réserver d'elle-même. Je ne l'ai jamais vue indifférente à quoi que ce fût; elle prenait sa part de tout; réjouie ou attendrie, in-
30 dignée ou enthousiaste et conservant toujours — ce qui est rare — une extraordinaire liberté de jugement.

7. *Is it as serious as all that?*

Elle était vraiment incapable de s'en tenir aux notions apprises,* aux arrêts du monde; elle ne pouvait que suivre son inclination naturelle qui, par bonheur, lui faisait toujours prendre le parti le plus sensé, le plus généreux. 5

Il y avait chez elle un mélange d'esprit — ou plutôt d'espièglerie — de bravoure et d'ingénuité, avec lequel elle eût, je crois, désarmé * des assassins ou des voleurs s'il s'en fût introduit * ici. Elle a d'ailleurs souvent désarmé les sots, ce qui est sans doute encore plus diffi- 10 cile.

Il va de soi qu'elle déroutait et parfois, même, scandalisait les gens d'ici, tous ces cloportes, toutes ces larves !*

(*Il rit et Denise l'imite.*) 15

La meilleure amie de Maman, c'était notre vieille bonne, Fernande, une paysanne, veuve d'un bûcheron et l'une des femmes les plus sensées que j'ai connues. Fernande ! Je la vois toujours portant avec moi l'énorme panier de provisions quand nous allions passer 20 un dimanche au Moulin-Blanc ou dans les bois.

DENISE. Ma grand'mère Desavesnes, elle, devait connaître Lochères ?

DESAVESNES. Comment donc, si elle connaissait Lochères !* C'est elle qui m'y a conduit enfant * et 25 m'a fait prendre mon premier bain dans la rivière ! Elle-même s'est baignée à Lochères !

2. *conventional ideas . . .*
8. *would have disarmed . . .* (Note this use of the pluperfect subjunctive in a conditional sentence.)
9. *if any had got in . . .*
14. *i.e.* hard-shelled and blind. Translate: *unfeeling, blind dolts.*
25. *What ! Did she know Lochères !*
25. *when I was a child . . .*

DENISE. Vraiment !

DESAVESNES. Oui, et cette . . . originalité fut très sévèrement jugée par les dames d'ici qui n'avaient jamais pris, dans toute leur vie, qu'un ou deux bains de
5 baignoire, pour une circonstance grave.

(*Denise rit aux éclats.*)

C'est ma mère qui m'a appris le nom de toutes les fleurs des champs et me les a fait aimer. As-tu connu le jardin attenant à la scierie ?

10 DENISE. Oui. Maintenant, c'est un chantier.

DESAVESNES. C'était le jardin de Maman. Elle y passait tout le temps qu'elle pouvait; et bien souvent, le dimanche, au lieu d'aller à la messe, elle allait arroser ses fleurs; elle disait que la présence de Dieu était
15 pour elle plus manifeste dans un jardin qu'à l'église et qu'aimer et soigner les fleurs, c'était une façon de rendre grâce à leur Créateur.

DENISE *impressionnée.* Ah ! Elle disait cela ! . . . Moi j'ai souvent pensé que la plus belle église ce serait
20 en forêt, sous les grands arbres habités par les oiseaux et dont les branches laisseraient, par endroits, voir le ciel.

DESAVESNES. Bravo ! Et la meilleure façon d'y adorer l'Éternel serait d'écouter les oiseaux et de con-
25 templer les arbres.

(*Un silence.*)

DENISE *s'arrachant à ses réflexions.* Mère et Henriette tardent bien.

DESAVESNES. Je ne suis pas pressé. Je ne reprends
30 mon train que dans une heure et demie . . .

DENISE. Vous partirez si vite, mon oncle ? Vous ne dînerez pas avec nous ?

DESAVESNES. Non, mon enfant: Impossible.

DENISE. Et . . . vous ne reviendrez plus ?

DESAVESNES *troublé.* Je ne sais pas . . . Peut-être que non . . . Sait-on jamais ?

(*Un silence.*) 5

DENISE. Comme c'est triste que vous ayez été fâché avec Mère !

DESAVESNES. Comment m'imaginais-tu, les rares fois où tu pensais que tu avais un oncle ?

DENISE *souriant.* Oh ! pas du tout comme vous 10 êtes.

DESAVESNES. Comment ? Tu peux bien me le dire: Nous sommes arrivés tout de suite, presque, à parler comme de vieux amis.

DENISE *riant.* Je vous croyais un homme terrible, 15 violent, sans cœur, une sorte de monstre, enfin. C'est une habitude d'enfant que j'avais, de vous imaginer ainsi, parce que vous étiez brouillé avec Maman, avec mes oncles Dentin . . .

DESAVESNES. Diable ! 20

DENISE. Si je vous dis cela, mon oncle, vous comprenez bien que c'est pour me moquer de moi-même et parce que je me rends compte de ce que tout cela avait d'absurde et d'opposé à la vérité.*

DESAVESNES *songeur.* Violent; oui, il se peut que 25 je sois violent, colérique.

(*Un silence.*)

Denise !

DENISE. Mon oncle ?

DESAVESNES *se levant, avec émotion.* Denise, je 30

24. *how absurd and contrary to the truth all that was . . .* (Cf. *La Scintillante* p. 85, l. 15.)

serais heureux si, partant d'ici, j'emportais la conviction d'avoir éveillé chez toi . . . un peu de sympathie . . . le sentiment que nous sommes, toi et moi, des êtres de même espèce . . . enfin si tu sentais comme moi que
5 nous pourrions, que nous aurions pu devenir très camarades, tous les deux . . . Je serais heureux si ces quelques moments inattendus, inespérés passés avec toi rendaient sans importance et sans effet tout ce que tu as pu entendre débiter sur mon compte.* Je sais
10 bien que je vais partir . . . le temps . . .

DENISE. Cela sera ainsi, mon oncle, vous pouvez en être sûr ! Je n'aurais jamais osé vous le dire, mais cela sera ainsi ! Je sens que je n'oublierai jamais tout ce que vous m'avez raconté sur ma grand'mère et sur
15 vous . . .

DESAVESNES. Sur moi . . . Si tu étais un peu plus âgée, je te raconterais . . . On ne sait presque rien de moi ici . . . Enfin ! Merci, ma petite Denise. Il aurait pu se faire que depuis la mort de Dentin j'aie été pour
20 toi comme un père et un ami. Cela m'est un peu amer à penser; mais il m'est bon de le penser et de le dire devant toi . . .

(*Un silence.*)

DENISE. Dans quel pays allez-vous ?

25 DESAVESNES. En Orient. Aux Indes.

(*Un silence.*)

Je t'écrirai; je vous écrirai; vous saurez toujours mon adresse. Il faudra m'écrire, Denise. J'aimerai tant savoir ce que tu deviens.

30 DENISE. Oui, mon oncle.

DESAVESNES. Il faut vivre, mon petit. La plupart

9. *all the yarns you may have heard spun about me . . .*

des gens d'ici ne vivent pas et n'aiment pas la vie. Ils attendent la mort derrière leur fenêtre fermée en disant du mal de leurs voisins. Ils sont incapables de véritable joie, de véritable amour . . .

Ils font à Dieu l'affront de le prier sans arrêt, comme 5 des mendiants ou des peureux, alors qu'ils méconnaissent tout ce qui est beau et grand, tout ce qui, vraiment, porte la marque de Dieu ! (*Il allume une cigarette.*) Tu permets que je fume ?

DENISE. Je vous en prie, mon oncle. 10

DESAVESNES. Prends bien garde, mon enfant, de rester vivante et toujours en éveil; ne va pas te laisser enliser dans cette existence qu'on mène ici . . .

Dire qu'il y a en France des centaines de petites villes comme celle-ci qui n'ont pour raison d'être que leur 15 hôtel du *Touring-Club*,* leurs deux études de notaires et leur bureau de l'Enregistrement; . . . à part qu'elles sont devenues de silencieux hospices où les retraités et les rentiers d'une région viennent mourir.

DENISE *riant*. Mon oncle ! Vous exagérez. 20

DESAVESNES *riant aussi*. Tu crois ? Je le souhaite. Mais je souhaite aussi de tout mon cœur que tu n'ailles pas épouser quelque fils de boutiquier d'ici qui t'enterrera dans sa boutique.

DENISE. Il n'en est pas question ! J'ai encore le 25 temps d'y penser. En tous cas, je ne me laisserai pas enterrer !

DESAVESNES. J'aimerais mieux te voir épouser un campagnard ! J'ai connu de ces petits gars qui tenaient

16. The Touring-Club de France is an organization whose purpose is to promote and facilitate the trips of tourists in France. It gives a sign which can be displayed by hotels which meet its standards.

une ferme et qui n'étaient pas n'importe qui *: instruits, intelligents, ayant le goût de l'indépendance et de l'entreprise. La vie des champs, voilà une vraie belle vie, sans un trou,* gonflée comme une voile au
5 vent: On s'y attache, on s'y dépense à plaisir.* Ça te plairait-il?

DENISE. Oui, peut-être; je n'y avais jamais pensé.

DESAVESNES. A quoi d'autre avais-tu pensé? Quelle espèce de mari as-tu jamais rêvé d'avoir?

10 DENISE. Moi, j'aimerais épouser un acteur.

DESAVESNES (*avec intérêt*). Un acteur.

DENISE. Oui, un jeune acteur faisant partie d'une troupe comme il en passe ici * quelquefois. Ce doit être une vie si agréable: On voyage par toute la France,
15 on descend à l'hôtel; on dîne au restaurant tous ensemble. On ne doit rencontrer partout que des sympathies . . .

DESAVESNES. Décidément, tu es bien une Desavesnes! Mais que ferais-tu, toi, dans la troupe?
20 Ton mari ne gagnerait peut-être pas assez pour t'emmener avec lui.

DENISE *étonnée*. Ah?

DESAVESNES. C'est probable.

DENISE. Je trouverais bien quelque chose à faire.
25 Et puis ce me serait égal que nous ne soyons pas très riches. Je ferais réciter ses rôles à mon mari et lui préparerais ses costumes.

DESAVESNES. Que dit ta mère de cette idée-là?

DENISE. Oh! je ne lui en ai jamais parlé!

1. *who were not mere nobodies . . .*
4. *whole, integral . . .*
5. *one pours out one's energies for the sake of doing it.*
13. *of the kind that come through here . . .*

DESAVESNES. Tu as vu jouer des troupes de passage, ici ?

DENISE. Oui, une fois. On donnait *Les Enfants d'Edouard.** C'était bien. Mais Dieu que c'était triste !

(Un silence.) 5

DESAVESNES. Si tu pouvais aller un peu à Paris !

DENISE. Voilà ce que je voudrais !

DESAVESNES. Il y a tant de choses que tu pourrais connaître, que tu es digne de connaître . . . Ce serait ton horizon élargi, d'un seul coup; et toutes sortes de 10 découvertes, d'étonnements, d'enthousiasmes . . . Les livres, le théâtre, la musique . . . Ah ! la musique ! les beaux concerts ! Quel enrichissement ! * Tu ne peux savoir . . .

Mais n'as-tu pas un cousin Dentin, à Paris ? 15

DENISE. Oui; il est venu nous voir il y a deux ans. Il a une fille un peu plus jeune que moi.

DESAVESNES. Qu'est-ce qu'il fait, ce cousin ?

DENISE. Je ne sais pas au juste; du commerce, de la commission. 20

DESAVESNES. Essaye donc d'aller passer chez lui quelques mois pour commencer, pour sortir d'ici !

DENISE. C'est difficile.

DESAVESNES. Si tu te proposes cela comme un but, tu y parviendras, fût-ce * dans six mois, dans un an ! 25 Tu as une petite cousine, c'est avec elle qu'il te faut établir des liens.

DENISE. Nous n'avons fait jusqu'ici qu'échanger des cartes postales au nouvel an.

4. An historical melodrama by Casimir Delavigne written in 1833, and inspired by Shakespeare's *Richard III.* A favorite play in the provinces.

13. *How those things enrich life !* 25. *even if it were (only) . . .*

DESAVESNES. Eh bien, voilà! Fais collection de cartes postales: Prends-toi de passion pour les monuments de la capitale. Cela pourra très bien finir par un voyage. Ta petite cousine ne te refusera * pas 5 d'échanger régulièrement des vues de la région — il y en a de jolies — contre des vues de Paris. Tout ce qu'il arrive de plus important * dans la vie commence par des bêtises comme ça.

DENISE *joyeuse.* Je vais le faire!

10 DESAVESNES *avec élan.* Ah! si tu vas à Paris, tu me l'écriras, n'est-ce pas? Tu me donneras l'adresse de ton cousin et je te promets que tu sauras par moi ce qu'il faut voir, lire, entendre, connaître, à Paris. Tu voudras bien, n'est-ce pas?

15 DENISE. Oui, mon oncle! J'en serai très heureuse.

DESAVESNES. Et moi, donc! Puisque je n'ai pas pu te conduire à Lochères, je te guiderai de loin, pas à pas, dans Paris *; oh! de très loin, hélas. Mais je verrai, du moins, par la pensée, ma petite nièce Denise suivant 20 mon itinéraire et arrêtant longuement sur les gens et sur toutes choses un regard jamais émoussé, jamais rassasié, le regard même de sa grand'mère Desavesnes. Qui sait, Denise, si nous ne continuerons pas alors, dans nos lettres, le bavardage d'aujourd'hui, comme 25 deux vieux complices?

DENISE *elle a écouté avidement Desavesnes, en approuvant de la tête, et se tourne brusquement vers les fenêtres.* Voilà Mère et Henriette: Je les entends.

(*Desavesnes se lève, Denise va ouvrir la porte à* 30 *Madame Dentin et à Henriette qui entrent.*)

4. Omit *te* in translation.
7. *All the most important things that happen . . .*
18. *through Paris . . .*

SCÈNE II

Les Mêmes, MADAME DENTIN, HENRIETTE

(Toilettes austères et sans grâce. Robes et chapeaux noirs. Henriette un peu ridicule.)

MADAME DENTIN *s'exclamant, à-demi indignée.* Mais oui ! Il est là !

DESAVESNES *allant à elle.* Bonjour Irma.

MADAME DENTIN *sur un ton de reproche larmoyant pendant qu'elle et Desavesnes s'embrassent.* Édouard ! 5 Tu es ici depuis ce matin ! Je viens de l'apprendre par le père Delphin qui t'a vu vers dix heures à la scierie !

DESAVESNES *allant à Henriette qui se tient derrière sa mère, dans une attitude pleine de réserve.* C'est vrai. Ma nièce Henriette, permets que je t'embrasse. 10

HENRIETTE *tendant le front.* Mon oncle . . .

MADAME DENTIN *ôtant son chapeau et ses gants.* Ainsi, Édouard, tu es ici depuis cinq ou six heures et il faut que ce soit un étranger qui me l'apprenne ! Tu n'es pas même venu déjeuner avec nous, chez ta sœur, 15 chez toi ! Oh ! Édouard, ce n'est pas gentil ! Quelle peine tu me fais !

(*Elle essuie une larme.*)

DESAVESNES. Tu vas comprendre . . .

MADAME DENTIN *l'interrompant.* Toute la ville saura 20 que mon frère, après quinze ans d'absence, est arrivé ici ce matin et que je n'en savais rien. Mon Dieu ! Comme si vraiment nous nous détestions ! (*Elle essuie une larme.*) Assieds-toi, je te prie.

(*Tous s'assoient.*) 25

DESAVESNES. Voilà bien toujours ta tendance * à

26. *There's your usual tendency, all right . . .*

dramatiser tout ! Je suis arrivé ce matin à neuf heures et demie, c'est vrai. J'ai menti à Denise en lui laissant croire que j'étais arrivé à une heure. (*A Denise.*) Je m'en excuse, mon enfant, je voulais précisément éviter
5 de décevoir ta mère.

(*Madame Dentin lève les bras et les yeux au ciel.*)

Puisses-tu me comprendre,* Irma: Je suis venu ici uniquement pour satisfaire une envie que j'avais d'y venir. Je voulais te revoir, revoir cette maison, la
10 scierie, le pays; connaître mes nièces . . .

MADAME DENTIN *surprise.* Est-il possible, Édouard ? Serait-ce là * le seul but de ton voyage ?

DESAVESNES. Le seul. Je n'imagine même pas quel autre motif j'aurais pu . . .

15 MADAME DENTIN *l'interrompant.* Merci, Édouard ! Merci pour cette bonne pensée !

(*Elle se lève et va l'embrasser.*)

Pardonne-moi, mais je ne savais que supposer * en apprenant ta présence ici et jamais il ne me serait venu
20 à l'idée * que tu pouvais, tout simplement . . . Tu arrives, tu vas droit à la scierie où nous ne sommes plus rien * . . .

DESAVESNES. Je n'y étais déjà plus rien, au temps de ton mari, tu ne penses pas que j'y pouvais aller aujour-
25 d'hui avec la prétention d'y être plus qu'un visiteur ?

MADAME DENTIN. Sait-on jamais avec un grand fou

7. *Please try to understand me . . .*
12. *Could that be . . .*
18. *I didn't know what to think . . .*
20. *it would never have occurred to me . . .*
22. *that we no longer have anything to do with . . .* (Cf. Desavesnes' reply.)

comme toi ! (*Elle sourit et le regarde.*) Tu as vieilli, mon ami. Tu as blanchi. Moi aussi, d'ailleurs; tu dois me trouver changée ?

DESAVESNES. Pas beaucoup. Tu ressembles à Père, de plus en plus. 5

MADAME DENTIN. Tu trouves ? Édouard ! J'espère que nous irons ensemble au cimetière ?

DESAVESNES. Non, Irma: J'y suis allé ce matin. Comprends que j'ai voulu, d'abord, être un peu seul avec mes souvenirs. En sortant de la gare, j'ai pris le 10 boulevard des Fossés *; je suis arrivé à la scierie par le Tour de Ville. La scierie ! C'est toute mon enfance ! J'y ai vu le successeur de ton mari.

MADAME DENTIN. Tu lui as dit qui tu étais ?

DESAVESNES. Bien entendu. 15

MADAME DENTIN. Encore un qui a pu penser que tu venais en te cachant de moi, comme un voleur !

DESAVESNES. Pas du tout: Je lui ai dit que j'allais te voir. Il a pu constater, surtout, que j'étais ému devant ce chantier où j'ai joué tant de fois jadis; car 20 il m'aurait été difficile de le cacher. Il m'a très aimablement accompagné dans les moindres recoins de la scierie et du hangar; il a écouté toutes mes histoires, mes histoires d'il y a trente ou quarante ans. Nous avons même trinqué ensemble, chez lui. 25

MADAME DENTIN *avec quelque répugnance.* Oui, je crois qu'il trinque volontiers.

DESAVESNES. De là je suis allé au cimetière. Tu sais qu'une tombe ne représente pas grand'chose pour moi; ce n'est pas là que je retrouve mes morts. Leur visage, 30

11. Evidently the exterior boulevard encircling the town. *Fossé* means "trench," and "moat."

leur voix, tout ce qui fut l'expression de leur âme, c'est en moi seulement que . . .

MADAME DENTIN *l'interrompant.* Je sais, je sais; ne va pas développer tes théories devant mes filles.

5 DESAVESNES. Bref, je suis allé tout de même au cimetière; j'ai eu malgré tout le désir d'y aller. J'y ai porté des fleurs des champs que j'ai cueillies sur le chemin de la Tuilerie . . .

MADAME DENTIN. Tu as vu que j'ai fait mettre, au-
10 tour du caveau, un entourage en fer forgé galvanisé. Ne trouves-tu pas qu'il est bien ?

DESAVESNES (*sans conviction*). J'ai vu, oui; très bien.

MADAME DENTIN. Naturellement, il te déplaît ?

15 DESAVESNES *avec humeur.* Mais non, Irma ! Pourquoi me provoques-tu ? Ai-je dit qu'il me déplaît, ton entourage ? (*tranchant.*) Je trouve ça laid ! J'ai toujours trouvé odieusement laid tout ce qu'on applique et construit sur les tombes; quand j'allais jouer à
20 cache-cache dans le cimetière, étant gosse, j'étais déjà frappé de cette laideur. Ceci posé, je trouve ton entourage très bien . . . C'est soigné, c'est cossu, ça imite l'argent . . .

MADAME DENTIN. Allons ! Tu n'as pas changé.
25 (*A ses filles.*) Quand je vous disais, mes enfants, que votre oncle se flattait de tout railler et de ne penser en rien * comme le commun des mortels, vous voyez que je n'exagérais pas.

DESAVESNES. Eh ! Je ne me flatte de rien du tout;
30 je pense comme je pense, et je n'exige de personne qu'il pense comme moi.

27. *took pride in . . . not having the same ideas about anything . . .*

MADAME DENTIN. Et où es-tu allé en sortant du cimetière ?

DESAVESNES. J'ai fait l'autre moitié du Tour de Ville pour retourner à la gare. J'ai déjeûné au buffet où j'étais sûr de ne connaître personne. 5

MADAME DENTIN. Au buffet de la gare ! Avoue, Édouard, qu'à ce moment-là tu avais été suffisamment seul avec tes souvenirs pour venir t'asseoir à notre table !

DESAVESNES. Il était près d'une heure, vous aviez 10 fini de déjeuner. Tu n'étais pas prévenue . . .

MADAME DENTIN *soupirant.* Enfin ! Tu as voulu qu'il en soit ainsi.

Mais parlons de toi, mon frère: Que deviens-tu ? Que fais-tu ? Je sais que tu as vécu des années à 15 Londres ?

DESAVESNES. Trois ans.

MADAME DENTIN. Quelqu'un m'a dit une fois que tu écrivais dans un journal dont j'ai oublié le nom. Ça m'a fait plaisir . . . 20

DESAVESNES. J'écris bien rarement dans les journaux et ça ne me fait à moi, aucun plaisir.

MADAME DENTIN. Il y a plusieurs années de cela.*

DENISE *gravement.* Mon oncle va quitter la France.

DESAVESNES. Oui. Je vais me fixer aux Indes. 25

MADAME DENTIN *surprise.* Aux Indes ?

DESAVESNES. Oui. J'ai là-bas de grands amis qui m'ont décidé.

MADAME DENTIN. Par exemple ! Pour y faire quoi, aux Indes ? 30

DESAVESNES. Pour y écrire paisiblement des livres

23. *That was several years ago.*

et donner en anglais quelques heures de cours par semaine à des étudiants Indous.

MADAME DENTIN. A des Indous ! Des cours de quoi, mon Dieu ?

5 DESAVESNES. Des cours de littérature . . . Moyennant quoi l'existence me sera largement assurée jusqu'à la fin de mes jours.

MADAME DENTIN. Jusqu'à la fin de . . .

DESAVESNES. Probablement. Et c'est pourquoi j'ai 10 voulu venir ici avant de partir; comprends-tu ?

MADAME DENTIN (*larmoyante*). Ah ! mon pauvre Édouard ! mon pauvre Édouard !

DESAVESNES. Mais je ne suis pas pauvre !

MADAME DENTIN. Te voici donc réduit à cette ex-15 trémité de devoir t'expatrier.

DESAVESNES. Comment cela * « réduit » ? Mais je ne suis pas « réduit » et il n'est pas question d'extrémité ! Quant à m'expatrier . . .

MADAME DENTIN. Voyons Édouard ! Tu ne me feras 20 pas croire que ta situation ou, sans doute, ton manque de situation n'est pas pour beaucoup dans * ce départ !

(*Desavesnes rit en faisant, de la tête, un signe négatif.*)

Je n'ignore pas, mon pauvre ami, comme il t'a tou-25 jours été difficile de gagner ta vie !

DESAVESNES *se levant*. Difficile, oui. Je te prie de croire toutefois, ma sœur, que je l'ai gagnée. La vie telle que je désirais la vivre, j'y ai atteint, je l'ai gagnée. Certes, ce fut au prix d'une foule de misères; mais j'ai 30 fait jusqu'ici le beau et dur voyage selon mon pas et

16. *What do you mean . . .*
21. *is not an important factor in . . .*

sur les chemins dont j'avais envie, sans en rien refuser, sans me garer ni des coups de soleil ni des orages.

MADAME DENTIN. Hélas, je n'en doute pas! Mais ce n'est pas là ce que j'entends par: gagner sa vie, se faire une situation. 5

DESAVESNES. Ah! tu veux dire: gagner de l'argent? Dépenser son existence à faire fortune? Ça, non, je n'ai pas pu; je n'ai pas voulu.

MADAME DENTIN *avec une brusque colère, mal contenue.* Il y a une chose ... que tu as bien voulu tout 10 de même ... Enfin!

DESAVESNES. Quoi?

MADAME DENTIN *de même.* Rien, mon ami.

DESAVESNES. Mais si! Je te prie de me dire ce que j'ai tout de même bien voulu! 15

MADAME DENTIN. Eh! Tu le sais bien!

DESAVESNES. Ma foi, non!

MADAME DENTIN. A défaut de dépenser ton existence à gagner de l'argent, tu n'as pas dédaigné de faire, à la mort de Mère, un emprunt de soixante mille francs sur 20 la scierie.

DESAVESNES *s'irritant.* Un emprunt? Tu veux dire que j'ai réalisé ma part de la succession et renoncé aux affaires: Cela ne fait que confirmer ce que je viens de te dire. 25

MADAME DENTIN. Nous ne nous comprenons pas, Édouard. Nous n'avons jamais pu nous mettre d'accord sur cette question, c'est inutile d'y revenir.

DESAVESNES. Si quelqu'un y revient, ce n'est fichtre pas moi! Mais une fois encore, je mettrai les choses 30 au point:

(*Scandant ses paroles.*)

A la mort de Maman, la scierie et cette maison, après inventaire, ont-elles été estimées cent vingt mille francs ?

(*Madame Dentin croise les bras, détourne la tête et*
5 *regarde en l'air, pour signifier qu'elle ne répondra pas.*

Après un court silence, Desavesnes continue.)

Ton mari, qui gérait déjà l'affaire, a-t-il résolu de la continuer à son compte ? Avais-je, oui ou non, le droit
10 de réaliser ma part ?

MADAME DENTIN *avec éclat.* Bien entendu, tu l'avais, ce droit. Mais ton devoir, entends-tu, Édouard, ton devoir était tout autre ! Tu diminuais, tu compromettais gravement l'entreprise familiale en la grevant
15 d'une hypothèque . . .

DESAVESNES. Je ne vois pas . . .

MADAME DENTIN *poursuivant.* . . . En nous obligeant à en payer les intérêts et à rembourser ces soixante mille francs à force de travail et d'économies, pendant
20 que toi . . .

DESAVESNES *hors de lui, frappant sur la table.* Mais sacré nom de Dieu ! . . .

MADAME DENTIN *à ses filles.* Sortez, mes enfants, sortez !

25 (*Henriette s'enfuit dans la chambre du fond. Denise s'éloigne plus lentement, pendant la réplique suivante et va s'appuyer à une des fenêtres.*)

DESAVESNES. . . . Mais sacré nom de Dieu, si la scierie avait été mise en vente, comme je vous l'ai
30 proposé, j'aurais pareillement touché ma part, rien de plus, rien de moins ! Vous avez été, en fait, les acquéreurs ! C'est pour payer ce que vous avez bien voulu

acheter que vous avez dû économiser! La scierie est devenue votre propriété absolue. Je ne te demande pas ce que tu l'as vendue * à la mort de Dentin! J'espère pour toi qu'elle avait doublé de valeur.

MADAME DENTIN. Oui, mon ami; grâce au labeur et aux qualités de mon pauvre mari. Mais ceci est hors de question. Ce que nous t'avons toujours reproché c'est de n'être pas resté solidaire des tiens.* Tu savais très bien, à la mort de maman, que la scierie manquait de capitaux. Tu devais laisser fructifier dans cette maison au moins une partie de ce qui te venait d'elle.

DESAVESNES *tout en examinant le buffet.* C'est une opinion; ce n'est pas la mienne. On ne place pas dans le commerce des fonds dont on peut avoir besoin d'un moment à l'autre.

MADAME DENTIN. Pour quel usage, mon Dieu! Crois-tu que cela ne nous a pas fait mal au cœur de te voir gaspiller tant d'argent dans la fondation de cette revue, dans ce feu de paille, alors que nous, ici . . .

DESAVESNES. J'ai fait de mon argent ce qui m'a plu, Irma.

MADAME DENTIN. Si encore ces soixante mille francs t'avaient fait quelque profit.

DESAVESNES *revenant vers elle.* Sois pleinement rassurée sur ce point, ma sœur: Cette revue n'a pas absorbé tout mon avoir: J'en ai mangé la plus grosse partie avec une femme . . .

MADAME DENTIN *les mains devant les yeux.* Seigneur! Comment ose-t-il? Comment ose-t-il?

DESAVESNES *lentement et comme à lui-même.* Avec

3. *what you sold it for . . .*
8. *a loyal member of the family.*

une femme que j'aimais et qui m'aimait... Un être d'élite à qui je dois...

MADAME DENTIN. N'insiste pas, je te prie! Si tu avais la moindre pudeur, le moindre égard pour moi...
5 — Denise! Que fais-tu ici? Je t'ai dit de sortir. (*Denise va rejoindre sa sœur.*) Si tu avais seulement conscience de tes actes, tu ne viendrais pas me dire que si tu nous as refusé ton concours, ce fut afin de mieux faire la noce.

10 DESAVESNES. Faire la noce! Faire la noce! Que tu es bête, ma pauvre sœur! Si tu savais ce que cela veut dire, faire la noce, et si tu savais à quel propos de quoi tu le dis,* je considérerais tes paroles comme une injure.

MADAME DENTIN. Manger sa fortune avec les femmes,
15 je sais tout de même bien ce que cela veut dire, si bête que je puisse te paraître.

DESAVESNES *impérieux, avec éclat.* Irma, je te prie de me f...* la paix! J'ai vécu en Italie, avec celle que j'aimais — et dont moi, je n'étais peut-être pas digne —
20 les deux plus belles années de ma vie. J'en suis plus enrichi que toi, avec ton usine et tous ses profits; j'ai dépensé dans ces deux années plus de ferveur, plus de religion que tous tes...

MADAME DENTIN *l'interrompant.* J'attendais ton cou-
25 plet d'insultes à l'Église.

(*Un long silence, pendant lequel Madame Dentin tapote nerveusement des doigts sur la table, tandis que Desavesnes marche, les mains au dos, les regards fixés au sol.*)

30 DESAVESNES *radouci.* Non, Irma: Je ne pouvais

13. *in what connection you use the term...*
18. Cf. p. 118, n. 11. See vocab. *foutre.*

pas rester ici, ni faire fructifier mon argent à la scierie. D'abord j'aurais vécu, ou à peu près, du travail de ton mari. C'est alors que tu me l'aurais reproché !

MADAME DENTIN. Te l'ai-je reproché jamais ?

DESAVESNES. Mais oui, ma sœur et combien de fois, 5 au temps où Maman vivait encore.

(*Un silence.*)

MADAME DENTIN *larmoyante.* Oh ! Édouard, qu'il est cruel à toi de faire état de * tout ce que j'ai pu te dire jadis, dans des moments de colère ou d'impatience; 10 comme si tu ne connaissais pas le fond de ma nature . . . (*Elle pleure.*) Et comme si je ne pourrais pas, moi aussi, me rappeler certaines paroles de toi . . .

DESAVESNES. Mais je n'en fais pas état, voyons ! * . . . Il est vrai que je vous ai dit moi-même, à 15 ton mari et à toi des choses bien plus méchantes . . .

(*Un silence. — Avec lassitude.*)

Ce n'était pas pour penser à ces misérables disputes ni pour les ranimer que je suis venu te voir . . . Laissons tout cela . . . D'autant qu'il va me falloir bientôt 20 partir.

MADAME DENTIN. Bientôt partir ? Mais tu vas dîner ici ?

DESAVESNES. Non, Irma. Si je dînais ici, je n'aurais plus de train qu'à minuit. Je dois prendre l'express de 25 cinq heures pour être à Paris à huit heures et demie.

MADAME DENTIN. Mais rien ne t'empêche de coucher ici ?

DESAVESNES. Oh ! Impossible !

MADAME DENTIN. Édouard ! Tu dormirais une nuit 30

9. *how cruel it is of you to throw in my face . . .*
14. *But, see here, I'm not throwing anything in your face !*

dans ta vieille chambre! C'est Denise qui l'occupe maintenant; elle coucherait avec moi.

DESAVESNES. Ah, c'est Denise?... Non, Irma; merci. Je t'assure que c'est impossible. J'ai beaucoup
5 à faire avant de quitter Paris; et je pars dans deux jours.

MADAME DENTIN. Tu prendrais un train demain très tôt.

DESAVESNES. Je dois être à Paris ce soir. J'aurai
10 fait ce que je voulais. Je serai venu ici; je vous aurai vues, toi et mes nièces, mes nièces qu'il faut aller délivrer. (*Il va ouvrir la porte de la chambre.*) Venez donc, mes enfants! Elles ont l'air d'être en pénitence. Venez, je ne dirai plus rien qui puisse offenser vos oreilles.

15 (*Denise, puis Henriette sortent de la chambre que Desavesnes regarde encore avant de fermer la porte.*)

MADAME DENTIN. Mais songe, Édouard, que si tu prends le train de cinq heures tu n'as presque plus de
20 temps à passer avec nous!

(*Elle regarde la pendule.*)

DESAVESNES. Je sais. J'ai encore un moment.

MADAME DENTIN. Tu as le temps de goûter. Tu prendras bien le thé?

25 DESAVESNES. Non, Irma. Merci! Sérieusement. Je ne prends jamais rien entre mes repas.

MADAME DENTIN *suppliante.* Un peu de Malaga! Qu'il ne soit pas dit que tu n'auras pas pris quelque chose * chez ta sœur! Un peu de Malaga avec des
30 biscuits!

DESAVESNES. Eh bien, j'accepte un peu de Malaga.

29. *Don't let anyone say that you haven't eaten anything...*

(*Henriette et Denise s'empressent de quérir dans le buffet verres et biscuits.*)

MADAME DENTIN. Va chercher le Malaga de Madame Bersonnet, Henriette. Il est dans ma chambre, dans le bas de mon armoire. (*A Desavesnes.*) Nous avons une 5 amie qui fait elle-même un Malaga exquis, dont elle va d'ailleurs me donner la recette. Mais à cause de la bonne il faut tout mettre sous clef. Figure-toi que nous sommes privées de notre bonne pour trois jours. Elle marie sa sœur.* 10

DESAVESNES. C'est ce que m'a dit Denise pendant que je t'attendais.

MADAME DENTIN. Car* tu m'as attendue! Longtemps?

DESAVESNES. Non. 15

DENISE *versant le Malaga.* J'ai bien pensé aller te chercher, maman, mais je ne voulais pas laisser mon oncle seul.

MADAME DENTIN. C'est comme un fait exprès.* Un biscuit, Édouard? 20

DESAVESNES. Non, merci. — J'ai bavardé avec ma petite nièce et l'ai trouvée vraiment charmante et . . . raisonnable.

MADAME DENTIN. Elle reste pourtant bien enfant. Elle s'amuse de tout. 25

DESAVESNES. Eh! Ce n'est déjà pas si mal.*

MADAME DENTIN. Henriette, à son âge, était déjà beaucoup plus sérieuse.

DESAVESNES. Je me rappelle moi, d'une Henriette*

10. *She's at her sister's wedding.* 13. *Car* has here the sense of *donc.* 19. *You would think that everything was conspiring to annoy me.* 26. *Well! That's not so bad, after all.* 29. This construction is grammatically incorrect. It is probably elliptical for *Je me rappelle* (*la figure*) *d'une Henriette.*

qui n'était guère sérieuse. Elle avait neuf ou dix ans. Te souviens-tu de moi dans ce temps-là, Henriette?

HENRIETTE. *Sourire contraint.* Un peu...

DESAVESNES. Tu ne te souviens pas de cette fois où
5 je te faisais sauter sur mes genoux?

(*Denise éclate de rire.*)

MADAME DENTIN. Édouard! Toujours le même! Dis-moi plutôt comment tu trouves le Malaga de Madame Bersonnet.

10 DESAVESNES. Excellent, excellent.

MADAME DENTIN. Encore un peu, alors?

DESAVESNES. Non, merci. Sans façon.

MADAME DENTIN. Nous aurions pu te faire visiter le premier étage. Veux-tu, rapidement?

15 DESAVESNES. Non, Irma. Il m'a suffi d'entrer, en arrivant ici, dans la chambre de Maman; dans ta chambre...

MADAME DENTIN. Rien n'est changé, n'est-ce pas? Et je n'aurais non plus rien de nouveau à te montrer
20 au-dessus.

DESAVESNES *tirant sa montre, puis regardant la pendule.* Elle va bien,* la pendule?

MADAME DENTIN. Je crois que nous retardons un peu sur la gare.*

25 HENRIETTE. C'est l'heure de la cathédrale.*

MADAME DENTIN. Puisque tu veux absolument partir, je ne voudrais pas te faire manquer le train. Mais es-tu vraiment décidé?

DESAVESNES. Oh! tout à fait. Il faut... (*Il va vers*

22. *Does it keep good time?*
24. *it's a little slow according to the station clock.*
25. *It's right by the cathedral clock.*

son pardessus. Denise le devance et le lui tend.) Merci, mon petit.

MADAME DENTIN. Nous allons te conduire à la gare.

DENISE *regardant son oncle qui lui sourit.* Mais oui.

HENRIETTE. Maman... Tu sais que Mademoiselle Pauline doit venir...

MADAME DENTIN. Mademoiselle Pauline, c'est vrai! Eh! bien, vous allez rester là, mes enfants, et vous recevrez Mademoiselle Pauline? Moi je vais aller mettre votre oncle au train.

DESAVESNES *vivement.* Non, Irma; reste donc chez toi. Voilà que l'heure avance, je vais marcher vite.

MADAME DENTIN *cherchant son chapeau.* Tu plaisantes, Édouard; j'irai à la gare; donne-moi mon chapeau, Henriette... Cette personne vient prendre arrangement pour des leçons de piano... Elle m'attendra.

(*Henriette lui apporte son chapeau.*)

DESAVESNES *avec autorité.* Non, ne viens pas. Là! pose ton chapeau. Embrasse-moi. Je trouve qu'il n'y a rien de pénible comme les accompagnements à la gare*; pénible pour ceux qui restent autant que pour celui qui part.

MADAME DENTIN *larmoyant.* Comme tu es drôle Édouard... Dire... que nous nous voyons peut-être pour la dernière fois!

DESAVESNES. Ce n'est pas tellement certain. Adieu, Irma. (*Ils s'embrassent.*) Je te promets de t'écrire.

MADAME DENTIN. Dès ton arrivée là-bas, n'est-ce pas?

DESAVESNES. Dès mon arrivée. Adieu, Henriette.

22. *as being seen off on a train...*

HENRIETTE. Adieu, mon oncle. (*Baisers.*)

DESAVESNES. Adieu, Denise. (*Il l'embrasse.*) Je t'enverrai des cartes postales. En fais-tu collection?

DENISE. J'en ferai collection, mon oncle. Merci.

5 DESAVESNES. A la bonne heure! Ne me reconduisez pas. Je suis heureux de vous avoir vues avant de partir!

MADAME DENTIN. Mon frère!

DESAVESNES. *Il ouvre la porte.* J'ai juste le temps, 10 maintenant; adieu.

(*Il promène sur l'intérieur un dernier regard circulaire et sort, suivi de Madame Dentin, puis de Denise et d'Henriette. On entend la voix de Desavesnes*):

15 Au revoir, au revoir!

(*Puis Henriette rentre la première, suivie de Denise qui, d'un doigt, s'essuie rapidement une larme. Madame Dentin les rejoint quelques secondes après en se mouchant.*)

SCÈNE III

MADAME DENTIN, HENRIETTE, DENISE.

20 MADAME DENTIN *après un silence, soupirant.* Ah! mon Dieu!... Débarrassez la table, mes enfants.

(*Henriette va reporter le Malaga dans la chambre. Denise range l'assiette de biscuits dans le buffet, etc..*)

25 Eh bien, vous connaissez votre oncle!

HENRIETTE *rentrant.* Je respire mieux maintenant qu'il est parti et je dois avouer, ma chère Maman, que je tremblais autant pour toi que pour nous qu'il n'acceptât de rester.

MADAME DENTIN. Nous avions le devoir de le retenir, ma fille. (*Avec émotion.*) C'est mon frère. Et le sentiment qui l'a poussé à venir ici est louable. 5

DENISE. Oh ! oui.

MADAME DENTIN. Je ne l'en croyais pas capable. Ma première idée a été qu'il venait me demander de l'argent.

HENRIETTE. Maman, nous devions mettre tremper 10 des lentilles pour demain.

MADAME DENTIN. Mon Dieu ! Elles ne sont pas même triées. Va les chercher, Denise, nous allons les trier rapidement.

(*Denise sort à droite.*) 15

HENRIETTE. Mademoiselle Pauline va venir.

MADAME DENTIN. Nous n'avons pas à nous gêner devant Mademoiselle Pauline.

(*Denise revient portant un bol et un sac en papier plein de lentilles. Henriette déplie sur la table* 20 *trois journaux qu'elle a pris sur le guéridon. Toutes trois s'asseoient devant un petit tas de lentilles. Le bol est placé au milieu de la table.*)

MADAME DENTIN. Je voudrais bien qu'Édouard n'ait rencontré personne que nous connaissions d'ici la 25 gare.*

HENRIETTE. Ma pauvre Denise, je te plains: Tu as dû trouver le temps long en nous attendant, seule avec l'oncle.

DENISE *un peu fermée.* Pas du tout. Il a été très 30 gentil.

26. *from here to the station.*

MADAME DENTIN. Oh ! quand il veut, il est très convenable . . . Il aurait même de la distinction.[2] Mais il est bien rare qu'il veuille. (*A Denise.*) De quoi t'a-t-il parlé ?

5 DENISE *de même.* De toutes sortes de choses . . . De la campagne, des environs . . . De l'étang de Clayes . . . (*S'animant.*) Oh ! il m'a raconté une histoire bien touchante: Vous savez, le vieux Monsieur Blin qui s'est noyé, dans le temps, au bout de son 10 jardin ? Eh bien . . .

MADAME DENTIN *l'interrompant en riant.* Il s'est noyé parce que sa petite fille n'avait pas voulu lui dire bonsoir, n'est-ce pas ? C'est cela ?

DENISE *interdite.* Oui.

15 MADAME DENTIN. Quelle pitié ! Il a fallu qu'il te raconte cela ! S'est-on assez moqué de lui, jadis, avec cette histoire ! Il a dû finir par y croire.

DENISE. Mais maman . . .

MADAME DENTIN. Décidément, à certains égards, 20 mon frère a toujours dix ans. Il est vrai que ma pauvre mère était restée aussi très enfant. Mais beaucoup moins que lui, grâce à Dieu !

HENRIETTE. Il s'agit bien du bonhomme qui s'est noyé dans un accès de folie, n'est-ce pas ?

25 MADAME DENTIN. De folie furieuse.

(*Un long silence.*)

HENRIETTE. Avec tout cela, Maman, Denise ne sait pas la nouvelle !

MADAME DENTIN. Mais c'est vrai !

30 DENISE. Quelle nouvelle ?

HENRIETTE. Nous allons avoir un bulletin mensuel,

2. *He could even be distinguished in his manners (if he wanted to.)*

c'est voté: *Bulletin de l'Association des Dames Catholiques.*

DENISE *indifférente.* Ah!

HENRIETTE. J'ai été nommée secrétaire, avec Madame de Grançon. 5

MADAME DENTIN. Tu sais, Henriette — j'y repense — ce sera Monsieur le Curé qui, en définitive, rédigera le Bulletin tout seul. Je vois ça d'ici. C'est d'ailleurs souhaitable.

HENRIETTE. Oh! certainement, mais nous le dé- 10 chargerons complètement de toute la besogne administrative, correspondance, abonnements, publicité, expédition du Bulletin.

MADAME DENTIN. Cette Madame Friant qui s'offre pour faire des chroniques philanthropiques!* Non! 15

HENRIETTE. Ce serait du joli!

DENISE. Dis-donc, maman, qu'est-ce qu'il fait donc à Paris, le cousin Dentin qui est venu nous voir il y a trois ans?

MADAME DENTIN. Ce qu'il fait? Ma foi! je ne sais 20 au juste; il est dans le commerce, dans la commission. Pourquoi?

DENISE. Pour rien...

MADAME DENTIN. Donne-moi des lentilles, veux-tu?

(*Denise vide le sac devant sa mère.* 25
Silence.)

DENISE. Mon oncle m'a promis des cartes postales.

MADAME DENTIN. Dieu sait si tu en recevras jamais la moitié d'une. 30

HENRIETTE. Ah! Pendant que j'y pense: Nous

15. *offers to write up the philanthropic news...*

avons tenu, Ernestine, Cécile, Madame Bersonnet, moi et quelques autres, le petit Conseil dont tu avais parlé, Mère, pour nous entendre sur ce qu'il faut donner aux quêtes.

5 MADAME DENTIN. Très bien ! Tout le monde est-il de notre avis ?

HENRIETTE. Tout à fait. Tout le monde donnera la même chose désormais: Deux francs aux quêtes de Monsieur le Curé, un franc cinquante aux quêtes du 10 premier vicaire. Comme ça . . .

MADAME DENTIN. C'est parfait.

HENRIETTE. Toutes étaient enchantées de l'idée. Il est entendu que nous donnerons cette consigne autour de nous. (*A Denise qui, depuis un moment, a fini de trier* 15 *ses lentilles et qui rêve, accoudée sur la table.*) Tu entends, Denise ?

DENISE *dans un léger sursaut.* Oui, oui . . .

RIDEAU

EXERCISES

EXERCISES

(NOTE: Each of these exercises consists of three parts: *A*, a series of statements, some of which are correct and some of which are incorrect; *B*, a series of questions on the text; and *C*, a list of idiomatic expressions and difficult constructions. It is suggested that the students should prepare to tell which of the statements in *A* are correct and which are incorrect (" *Oui, monsieur, c'est exact* ", or " *Non, monsieur, ce n'est pas exact* "); and in the case of an incorrect statement the students should be able to give in French a correct statement to replace it. *B* suggests questions for class conversation. The idioms and constructions in *C* should be studied, and the students should be able to use them in sentences of their own.)

UN AMI DE JEUNESSE

I. pp. 4–12

A. 1. Le Blumel trouve que les sous-secrétaires d'État sont humbles et dévoués. 2. Le Blumel est très humble lui-même. 3. Le gendarme dont il s'agit dans la lettre est mort victime de son devoir pendant la guerre. 4. Le Blumel demande au domestique de faire venir son fils. 5. Son fils est un petit garçon très tranquille. 6. Il va sur ses dix ans. 7. Lambruche est maître répétiteur au lycée depuis dix ans. 8. Le Blumel veut que ses collègues de la Chambre sachent qu'il écrivait autrefois des vers. 9. Il croit que Lambruche a dû se rendre célèbre. 10. Il a mis sa femme au courant de l'affaire.

B. 1. Pourquoi Le Blumel n'est-il pas sorti ? 2. Qu'est-ce que Le Blumel pense du ministre ? 3. Quelle lettre Le Blumel veut-il ouvrir d'abord ? Pourquoi ? 4. De qui est cette lettre ? 5. Pourquoi est-ce que Le Blumel trouve que la vieille s'exprime bien ? 6. Quels sont les deux mots que Le Blumel dit au sujet du ministre? 7. Où est l'institutrice du fils de Le Blumel ? 8. A qui est-ce que Le Blumel a envoyé une lettre ? 9. Que veut-il de son vieil ami ? 10. Y a-t-il longtemps que Le Blumel n'a revu Lambruche ? 11. Une fois les examens passés, qu'est-ce que Le Blumel a fait ? 12. Que craint Dautier au sujet de Lambruche ?

C. 1. Se charger de; 2. avoir beau faire quelque chose; 3. saisir (*two meanings*); 4. avoir des lettres; 5. faire des siennes; 6. on dirait la voix de mon fils; 7. n'empêche que; 8. aller sur ses sept ans; 9. aussi (*at beginning of sentence*); 10. tarder à; 11. il lui tarde de.

II. pp. 13–19

A. 1. Mme Le Blumel voudrait confier son enfant à un homme. 2. Elle plaint son fils. 3. Celui qui attend a fait peur à Mme Le Blumel. 4. C'est un électeur qui voudrait voir M. Le Blumel. 5. M. Le Blumel n'est pas sûr de tomber d'accord avec son ami.

B. 1. Comment Le Blumel ment-il à sa femme au sujet de son ami de jeunesse? 2. Comment est-ce que le domestique décrit le monsieur qui attend dans l'antichambre ? 3. Est-ce que ce monsieur a été poli avec Mme Le Blumel ? 4. Quel est le nom qu'il a écrit sur un morceau de papier ? 5. Quelle promesse Le Blumel fait-il à sa femme ?

C. 1. Il n'y a pas de quoi; 2. c'est à peine si; 3. une drôle de mine; 4. tomber d'accord; 5. pour tout de bon; 6. au surplus; 7. penser à.

III. pp. 19–28

A. 1. Lambruche entre, vêtu d'une façon très élégante. 2. Il commence par flatter Le Blumel. 3. Le Blumel n'aime pas la flatterie. 4. Le Blumel veut éblouir son ami. 5. Lambruche buvait autrefois beaucoup de cognac. 6. Il a toujours sa situation au lycée. 7. Ses élèves lui étaient toujours très aimables. 8. La petite fille de Lambruche est tombée malade.

B. 1. Au commencement de leur conversation, que dit Lambruche qui irrite Le Blumel ? 2. Où est-ce que Lambruche a eu froid ? 3. Pourquoi Le Blumel est-il fâché quand Lambruche dit qu'il a froid ? 4. Qu'est-ce que Lambruche préférerait aux grands appartements ? 5. Pourquoi Lambruche a-t-il perdu ses bonnes habitudes ? 6. Quel élève est-ce que Lambruche a puni ? 7. Qu'est-ce qui est arrivé par suite de cette punition ? 8. Pourquoi Lambruche et sa mère se sont-ils brouillés ? 9. Pourquoi Le Blumel n'a-t-il pas épousé Georgette ? 10. Pourquoi Mme Lambruche a-t-elle tellement changé ?

C. 1. Être mal; 2. tout à l'heure; 3. n'importe quoi; 4. il y a beau temps que; 5. mettre quelqu'un à pied; 6. être sur le pavé; 7. s'attendre à; 8. en vouloir à quelqu'un de quelque chose.

IV. pp. 29–37

A. 1. Lambruche écrit de très mauvais vers. 2. Il en écrit très peu. 3. Il a une excellente situation chez une revue populaire. 4. Le Blumel aussi a des misères à raconter. 5. Mme Le Blumel est très grande. 6. Le fils de Le Blumel n'est pas très robuste. 7. Lambruche trouve que Le Blumel s'est fait une carrière glorieuse. 8. Le Blumel s'intéresse beaucoup à la revue de Lambruche. 9. Il voudrait écrire encore des vers. 10. Lambruche blâme Le Blumel de ne plus être poète.

B. 1. Quels métiers est-ce que Lambruche a faits ? 2. Que fait-il quand il rentre chez lui le soir ? 3. Que dit Lambruche qui stupéfie Le Blumel ? 4. Qu'est-ce que Lambruche pense des peintres de l'Institut ? 5. Comment trouve-t-il le portrait de Mme Le Blumel ? 6. Pourquoi Le Blumel ne fait-il pas sa proposition au sujet d'un précepteur pour son fils? 7. Est-ce que Lambruche aime les enfants malgré ce que lui faisaient ses élèves autrefois ? Comment peut-on le savoir ? 8. Pourquoi Le Blumel est-il fâché quand Lambruche parle de la santé de son fils ? 9. Comment Lambruche a-t-il entendu la nouvelle que Le Blumel était devenu sous-secrétaire d'Etat ? 10. Qu'est ce que l'ami de Lambruche a dit au sujet de Le Blumel ? 11. Lambruche est prêt à faire quoi pour Le Blumel ?

C. 1. Avoir de la chance; 2. mettre quelqu'un en train; 3. quand même; 4. d'autant que; 5. de fil en aiguille.

V. pp. 38–46

A. 1. Le Blumel propose à Lambruche une situation chez lui. 2. Le Blumel a été très content de retrouver un ami. 3. Lambruche ne comprend pas pourquoi son ami lui a été hostile. 4. Lambruche parle trop franchement même en avouant que c'est une faiblesse qui irrite les gens. 5. Il accepte l'offre d'un emploi de Le Blumel. 6. Il trouve qu'il n'y a pas de tribune plus noble que celle d'un ministre. 7. Dautier a eu raison au sujet des amis de jeunesse.

B. 1. Quelle situation Le Blumel offre-t-il à Lambruche? 2. De quoi est-ce que Lambruche croyait qu'il s'agissait? 3. Pourquoi aurait-il voulu entrer chez Le Blumel? 4. Croyez-vous qu'il y aurait été content? 5. Qu'est-ce qui fait le plus de tort à Lambruche? 6. Selon Lambruche, comment est-ce qu'un homme doit vivre? 7. Comment croit-il s'excuser auprès de Le Blumel? 8. Pourquoi refuse-t-il l'argent? 9. Que dit Lambruche à la fin qui irrite Le Blumel? 10. Quelles sont les recommandations de Le Blumel à Dautier au sujet de Lambruche? 11. Que pense-t-il maintenant des amis de jeunesse?

C. 1. Se faire valoir; 2. se rendre compte de; 3. il suffit de; 4. au fur et à mesure; 5. peu à peu; 6. faire tort à; 7. des amis de toujours; 8. ce n'est pas la peine de; 9. s'entendre avec; 10. avoir raison.

LA SCINTILLANTE

I. pp. 51–64

A. 1. La bonne marchandise garde toujours son prix. 2. La patronne possède une usine pour la fabrication de ses bicyclettes. 3. Elle va souvent à confesse. 4. M. Béchubert achète tant de dissolution parce qu'il attend une hausse. 5. Il est bête de ramasser les vieux timbres. 6. La patronne a un sentiment très tendre pour M. Esquimel. 7. L'huissier achète des outils chez la patronne. 8. Le comte veut que son fils épouse la patronne. 9. La patronne est très instruite. 10. Elle ne voudrait jamais quitter sa boutique.

B. 1. Pourquoi la patronne recommande-t-elle un cycle de

dame pour l'abbé? 2. Quels sont les modèles de bicyclettes qu'on n'a pas continués? 3. Pourquoi la patronne ne va-t-elle pas à confesse? 4. Pourquoi M. Béchubert vient-il chez la patronne? 5. Pourquoi préfère-t-il les petits tubes de dissolution? 6. A quoi est-ce que M. Esquimel s'intéresse? 7. Comment la patronne est-elle devenue "Fournisseur à S. M. la Reine d'Angleterre"? 8. Qui trouve le vicomte un jeune homme très intelligent? 9. Qu'est-ce que la patronne ferait si elle épousait le vicomte? 10. Comment est-ce que le vicomte a fait la connaisance de la patronne? 11. Qu'est-ce que l'abbé propose à la patronne?

C. 1. S'en tirer; 2. non plus; 3. dire quelque chose à l'intention de quelqu'un; 4. se douter de quelque chose; 5. faillir voir; 6. ne rien dire; 7. du tout au tout; 8. trouver à redire; 9. s'entendre; 10. croire dur comme fer; 11. être au mieux avec quelqu'un; 12. pour intéressant qu'il soit; 13. savoir se faire une raison; 14. faire le tour de; 15. valoir la peine; 16. se plaindre de; 17. tenir à; 18. envoyer promener quelqu'un; 19. faire valoir; 20. se passer de.

II. pp. 65–77

A. 1. M. Esquimel veut acheter une bicyclette. 2. La patronne adore les vers libres. 3. Le vicomte emploie beaucoup de chatterton. 4. Il tient le chatterton dans son garage. 5. Il se déclare amoureux d'un ton très passionné. 6. La patronne s'est méprise sur les sentiments du vicomte. 7. C'est un garçon très romanesque. 8. Les ancêtres du vicomte trouveraient sa conduite très mauvaise. 9. Le vicomte se rend compte de sa position vis-à-vis de la société. 10. Il voudrait faire sortir l'huissier pour pouvoir parler plus longtemps avec la patronne.

B. 1. Que pensez-vous du poème de M. Esquimel? 2. Quel est l'aspect du vicomte quand il entre dans la boutique? 3. Pourquoi est-ce que la patronne s'intéresse tellement à la qualité du chatterton? 4. Comment est-ce qu'elle réussit à savoir où demeure le vicomte? 5. Quels sont les projets d'avenir du vicomte? 6. Qu'est-ce que la patronne voudrait faire? 7. Qu'est-ce qui doit être bien agréable selon le vicomte?

8. Est-ce que le vicomte aime la patronne ou sa boutique? 9. Quelle est la position de la noblesse selon le vicomte? 10. Qu'est-ce que le vicomte voudrait savoir surtout? 11. Comment la patronne marque-t-elle ses prix sur les étiquettes?

C. 1. Passer outre; 2. faire droit à; 3. deviner quelqu'un; 4. être loin de compte; 5. à la rigueur; 6. un brave garçon; 7. être en train de; 8. se rendre compte de; 9. avoir l'air de; 10. mettre quelqu'un au courant; 11. avoir beau; 12. il doit y avoir.

III. pp. 77–89

A. 1. La patronne ne peut prêter une pompe à M. Trombe parce qu'elle n'en a plus. 2. M. Trombe trouve que la pompe est très bon marché. 3. Le comte est un vieillard sec et élégant. 4. Il aime à monter à bicyclette. 5. Il serait bien content de voir son fils boutiquier. 6. La marque, "La Scintillante", est une des premières du département. 7. Il est arrivé à la cour d'Angleterre de se fournir chez la patronne. 8. Le comte a toujours rêvé de s'intéresser à une affaire d'automobiles. 9. La comtesse sera vite acquise au projet.

B. 1. Comment est-ce que le vicomte se trompe de prix? 2. Comment fait-il acheter une pompe à M. Trombe? 3. Que fait le vicomte dès que M. Trombe est sorti? 4. Que fait l'abbé pour attirer l'attention du comte? 5. Pourquoi le comte est-il surpris quand la patronne dit que son fils a très bien traité plusieurs affaires? 6. Qu'est-ce que la situation lui rappelle? 7. Pourquoi la patronne préférerait-elle céder son magazin au vicomte qu'aux amis de l'abbé? 8. Qu'est-ce que le comte pense de cette idée? 9. Pourquoi le comte trouve-t-il qu'il est plus avouable de fabriquer des automobiles que de vendre des bicyclettes? 10. Comment est-ce que le vicomte va gagner l'abbé à sa cause?

C. 1. Venir de; 2. faire choisir quelque chose à quelqu'un; 3. rester dans la main; 4. tout ce qu'il y a de mieux; 5. vous devez vous tromper; 6. on a beau dire; 7. faire l'affaire; 8. tout à l'heure; 9. voilà du beau; 10. se moquer bien de; 11. avoir fait son temps.

A LOUER MEUBLÉ

I. pp. 94–103

A. 1. Au lever du rideau on voit le salon d'une maison particulière à Paris. 2. Dédé a la prétention d'emporter tous les meubles. 3. Il est moins craintif que Jojo. 4. Dédé enlève l'écriteau. 5. A ce moment on entend le pas du propriétaire. 6. M. Prentout voudrait visiter la villa. 7. Il était en train de sonner à la porte quand Jojo a enlevé l'écriteau. 8. Le pays plaît beaucoup à Mme Prentout. 9. Jojo dit que la villa a cinq chambres. 10. Jojo ne veut pas louer la villa trop bon marché.

B. 1. Où Jojo travaillait-il autrefois ? 2. Pourquoi a-t-il quitté son emploi ? 3. Où est-ce que Dédé trouve le trousseau de clefs ? 4. Pourquoi vaudrait-il mieux enlever l'écriteau ? 5. Comment sont les habitants du pays ? 6. Pourquoi Dédé ne fait-il pas visiter lui-même les Prentout ? 7. Pourquoi Jojo ne veut-il pas laisser seuls les Prentout ? 8. Dédé croit que les Prentout sont riches. Pourquoi ? 9. Comment loue-t-on une villa chez les notaires ?

C. 1. Par cette chaleur; 2. avoir l'air commode; 3. faire le tour de; 4. valoir mieux; 5. avoir raison; 6. mettre un peu d'ordre dans; 7. être en train de; 8. il ne faut pas; 9. non plus.

II. pp. 103–117

A. 1. M. Prentout est commissaire de police. 2. Il ne veut rien verser d'avance. 3. Le père de Dédé a fait construire la villa. 4. Dédé dit qu'il habite la villa. 5. Il demande qu'on verse six mois de loyers. 6. Mme Prentout demande qu'on fasse repeindre la salle à manger. 7. Il y a un verger près de la maison. 8. Dédé est propriétaire du verger. 9. Le verger est petit. 10. Jojo voudrait emporter la photographie. 11. M. Prentout n'est pas enthousiaste. 12. On paie les poires trois francs la livre au marché.

B. 1. Pourquoi Mme Prentout trouve-t-elle la maison trop grande ? 2. Combien de francs est-ce que Dédé demande aux Prentout ? 3. Est-ce que Mme Prentout trouve que c'est une occasion? 4. Qui va se charger des réparations? 5. Où Dédé et Jojo doivent-ils se trouver ce soir? 6. A qui est-ce que Dédé devait vendre la récolte du verger? 7. Qu'est-ce qu'on pourrait faire de tant de pommes de terre? 8. Pourquoi Mme Prentout trouve-t-elle que Dédé et Jojo sont de braves jeunes gens? 9. Qu'est-ce que les Prentout vont faire des poires et des pommes de terre? 10. Qu'est-ce que Dédé et Jojo emportent comme souvenirs?

C. 1. Avoir de la place; 2. aller tout seul; 3. à l'improviste; 4. c'est plus fort que nous; 5. aussi (*at beginning of sentence*); 6. tenir à quelque chose; 7. être la peine; 8. il y a de quoi (nourrir un régiment); 9. avoir de la chance; 10. être le bienvenu; 11. être longtemps parti; 12. en avoir pour cinq minutes.

III. pp. 117–128

A. 1. M. Tubeuf est très poli. 2. Mme Prentout croit que M. Tubeuf est ivre. 3. M. Tubeuf est tailleur. 4. Il prétend être le propriétaire de la villa. 5. Mme Prentout trouve que son mari a du flair. 6. M. Tubeuf trouve que c'est un comble que la police n'arrête pas les voleurs. 7. Il est excusable de prendre un innocent pour un coupable, mais non pas le contraire. 8. M. Tubeuf dit que la villa ne vaut que mille francs. 9. Mme Prentout trouve toujours que la villa est trop grande. 10. M. Tubeuf veut bien se charger des réparations. 11. Les voleurs n'ont jamais inspiré confiance à Mme Prentout.

B. 1. Pourquoi Mme Prentout est-elle si contente? 2. Pourquoi dit-elle que M. Tubeuf tombe mal? 3. Pourquoi le portrait ressemble-t-il à M. Tubeuf? 4. Comment est-ce que les jeunes gens ont réussi à emporter tant de choses? 5. Qui a été le plus bête, monsieur ou madame Prentout? 6. Que dit M. Prentout pour s'excuser? 7. Comment est-ce que Mme Prentout croit pouvoir sortir de l'embarras? 8. Qui doit payer les pendules volées?

C. 1. Se connaître en; 2. venir de; 3. en voiture; 4. en faire de belles; 5. qu'y a-t-il? 6. se faire rouler; 7. se douter.

LE PÈLERIN

I. pp. 133–141

A. 1. Au lever du rideau Denise est occupée à arroser les plantes. 2. Elle est très triste. 3. M. Desavesnes a vu Denise il y a deux ans. 4. Le tapis de table n'a pas été changé depuis l'enfance de Desavesnes. 5. La pendule a été cassée. 6. M. Desavesnes et Mme Dentin s'entendaient bien quand ils étaient petits. 7. La maison d'en face reste toujours la même. 8. Il ne faut pas de courage pour affronter les souvenirs. 9. Desavesnes est fâché que Mme Dentin ne soit pas à la maison. 10. Pendant que Desavesnes visite la chambre de sa mère, Denise continue à chanter.

B. 1. Où est Mme Dentin au lever du rideau? 2. Dans combien de temps doit-elle rentrer? 3. Où la bonne est-elle allée? 4. Qu'est-ce que M. Desavesnes veut voir? 5. Est-ce qu'il trouve beaucoup de changements dans le salon? 6. Où Desavesnes est-il né? 7. A qui Denise ressemble-t-elle? 8. Pourquoi Desavesnes voulait-il venir chez sa sœur? 9. A qui Desavesnes faisait-il autrefois la lecture? 10. Qu'est-ce qu'il faisait quand il rentrait passé minuit?

C. 1. Avoir envie de; 2. vous avez dû arriver à une heure; 3. tu dois te demander ce qui m'amène; 4. Tout à l'heure, j'ai dû attendre; 5. avoir la gorge serrée; 6. avoir de la peine; 7. monter le coup à quelqu'un.

II. pp. 141–150

A. 1. Denise est allée souvent à Lochères. 2. M. Blin demeurait à Lochères. 3. Il est mort d'une maladie grave. 4. C'était un homme très cruel. 5. Sa fille était bien élevée. 6. Il s'est noyé parce que sa fille l'a grondé. 7. Mme Dentin aime à entendre rire sa fille. 8. Mme Dentin ressemble beaucoup à sa mère. 9. La mère de Desavesnes a souvent désarmé des assassins. 10. Elle allait toujours à l'église le dimanche. 11. Denise trouve son oncle très sympathique. 12. Desavesnes va partir pour l'Amérique.

B. 1. Comment est-ce que Desavesnes s'amusait autrefois

à Lochères? 2. Pourquoi n'a-t-on pas voulu croire l'histoire de M. Blin? 3. Pourquoi la fille de M. Blin était-elle fâchée? 4. Qu'est-ce que Denise comprend au sujet de M. Blin? 5. Pourquoi Denise rit-elle? 6. Quel est le mot de Mme Dentin qu'il ne serait pas gentil de répéter à Desavesnes? 7. Pourquoi est-ce que tout le monde aimait la mère de Desavesnes? 8. Qui était sa meilleure amie? 9. Comment est-ce qu'elle scandalisait les gens? 10. Quelle serait la plus belle église selon Denise? 11. Comment est-ce que Denise s'imaginait son oncle avant de le connaître? 12. Pourquoi le croyait-elle tellement terrible?

C. 1. Être à huit kilomètres d'ici; 2. donner dans; 3. dire que; 4. tenir de; 5. savoir gré à quelqu'un de quelque chose; 6. quoi que ce soit; 7. s'en tenir à; 8. prendre un parti; 9. il y avait chez elle un mélange d'esprit et d'ingénuité (note this use of "chez"); 10. il va de soi; 11. je me rends compte de ce que tout cela avait d'absurde; 12. il aurait pu se faire que...

III. pp. 151–162

A. 1. La plupart des gens de cette ville aime la vie. 2. Desavesnes espère que Denise épousera un jeune notaire. 3. Elle aimerait épouser un fermier. 4. Elle est allée souvent au théâtre. 5. Sa cousine à Paris lui envoie des cartes postales au nouvel an. 6. Mme Dentin possède toujours la scierie. 7. Desavesnes est allé au cimetière pour retrouver ses morts. 8. Il a acheté des fleurs. 9. Il a déjeuné chez des amis. 10. Mme Dentin croit que son frère va aux Indes parce qu'il veut bien y aller. 11. Elle croit que le devoir de son frère était de se marier.

B. 1. Selon Desavesnes, quelle est la raison d'être de cette petite ville? 2. Est-ce que tous les campagnards sont n'importe qui? 3. Pourquoi Denise aimerait-elle épouser un acteur? 4. Qu'est-ce que Denise trouverait à Paris? 5. Comment pourrait-elle réussir à y aller? 6. Qu'est-ce que Desavesnes fera de loin? 7. Comment est-ce que Mme Dentin montre sa tendance à dramatiser tout? 8. Pourquoi dit-elle que son frère a vieilli? 9. Pourquoi Desavesnes est-il allé à la scierie? 10. Comment trouve-t-il l'entourage au cimetière? 11. Qu'est-ce qu'il va faire aux Indes? 12. Qu'est-ce que Mme Dentin entend par "gagner sa vie"? 13. Sur quelle question Mme Dentin et son frère n'ont-ils jamais pu se mettre d'accord? 14. Pourquoi Mme Dentin fait-elle sortir ses filles?

C. 1. Prendre bien garde de; 2. quoi d'autre; 3. penser à; 4. (une troupe comme) il en passe ici; 5. être égal à quelqu'un; 6. se prendre de passion pour; 7. pas à pas; 8. tu es ici depuis ce matin; 9. tu es ici depuis cinq ou six heures; 10. décider quelqu'un; 11. à défaut de; 12. mettre les choses à point; 13. à force de; 14. venir de.

IV. pp. 163–174

A. 1. Desavesnes a gaspillé tout son argent en fondant une revue. 2. Il veut bien passer la nuit chez sa sœur. 3. Mme Dentin lui offre du vrai Malaga. 4. Elle est contente que sa bonne soit allée marier sa sœur. 5. Desavesnes va envoyer des cartes postales à Denise. 6. Henriette regrette que son oncle ne soit pas resté pour dîner avec elles. 7. Denise ira probablement faire une visite à ses cousins à Paris.

B. 1. Qu'est-ce que Mme Dentin reprochait à son frère autrefois? 2. Qu'est-ce qu'elle lui reproche maintenant? 3. Pourquoi Desavesnes est-il content d'apprendre que Denise occupe son ancienne chambre? 4. Qui doit venir? 5. Pourquoi Desavesnes n'aime-t-il pas les accompagnements à la gare? 6. Pourquoi promet-il à sa sœur de lui écrire? 7. Pourquoi parle-t-il de cartes postales? 8. Quand Mme Dentin avait appris que son frère était venu, quels motifs lui avait-elle attribués? 9. Que font les jeunes filles et leur mère à la fin de la pièce? 10. Quelle est la grande nouvelle qu'annonce Henriette? 11. Quel sera le résultat du pèlerinage de Desavesnes?

C. 1. Avoir dû; 2. retarder un peu sur (la gare); 3. à la bonne heure. 4. avoir à se gêner; 5. se moquer de.

VOCABULARY

FOREWORD

The following abbreviations are used in this vocabulary: *adj.*, adjective; *adv.*, adverb; *f.*, feminine; *impers.*, impersonal; *inf.*, infinitive; *m.*, masculine; *n.*, noun; *pl.*, plural; *prep.*, preposition; *qch.*, quelque chose; *qn.*, quelqu'un; *sth.*, something; *v.*, verb. In the case of unusual meanings of words references are made to the scenes in which they occur. The titles of the plays are abbreviated as follows: *A*, *Un ami de jeunesse; L*, *A louer meublé; P*, *Le pèlerin; S*, *La scintillante.*

VOCABULARY

A

à to, towards, at, with, in, by, *etc.*; — **moi** to me; mine, of mine
abandonner abandon, leave; **s'— à** give oneself up to
abasourdir bewilder, strike dumb
abattre dishearten, depress
abbé *m.* priest
abdiquer abdicate, surrender
abeille *f.* bee
abolir abolish, do away with
abonnement *m.* subscription
abord *m.* approach; **d'—** (at) first, in the first place
aborder approach
aboutir (à) end (at), lead (to)
absence *f.* absence
absent absent, away
absolu absolute
absolument absolutely
absorber absorb, engross; drink (*A. viii*); **s'—** become engrossed
abstraire: s'— hold aloof
absurde absurd, preposterous
absurdité *f.* absurdity
abuser (de) take (unfair) advantage (of), impose (upon)
accabler overwhelm, crush
accent *m.* accent
accepter accept; — **de** accept an invitation to
accès *m.* fit, attack
accessoire *m.* accessory
accommodant accommodating, easy to deal with
accompagnement *m.* (*action of*) accompanying
accompagner accompany, go with
accord *m.* agreement; **être d'—** be agreed; **se mettre d'—, tomber d'—** come to an agreement
accorder grant
accouder: s'— lean on one's elbows
accoutrement *m.* get-up
accrocher hang up; **accroché à** clinging to (*S. ii*)
accueillant gracious, open
accueillir welcome
achat *m.* purchase
acheter buy
acheteur *m.* buyer
acquéreur *m.* purchaser
acquérir acquire, win
acquiescer acquiesce
acré look out!
acte *m.* act, deed
act–eur, –rice *m. and f.* actor, actress
acti–f, –ve active
action *f.* act, action
actuel, –le present
adapter fit
adieu adieu, good-bye
adjoint *m.* assistant; — **au maire** deputy mayor
admettre admit, assume

administrati–f, –ve administrative
admirable admirable, wonderful
admirati–f, –ve admiring
admirer admire
adopter adopt
adopti–f, –ve adopted, adoptive
adorable adorable
adorer adore, worship
adoucir soften
adresse *f.* address
adresser address; **s'— à** be addressed to; inquire of
aérer air out
affaiblir: s'— weaken, grow weak
affaire *f.* affair, (*piece of*) business, question; (*pl.*) business; **faire l'—** fit the bill, answer the purpose
affecter pretend
affectueusement affectionately
affirmer affirm; **s'—** assert oneself
affolant maddening
affolé panic stricken
affreu–x, –se frightful
affront *m.* affront, insult; **faire à Dieu l'— de** insult God by (*P. i*)
affronter face
afin: — de in order to; **— que** in order that
agacer annoy, irritate
âge *m.* age
âgé old, aged
agir do, act; **s'— de** be a question of
agiter wave
agrandir enlarge
agrandissement *m.* enlargement
agréable agreeable, pleasant
ahuri flabbergasted
aider help, aid
aigre sour, tart
aigrir sour, embitter
aiguille *f.* needle; **de fil en —** *see* **fil**
ailleurs elsewhere; **d'—** besides, moreover, otherwise
aimable amiable, pleasant
aimablement kindly
aimer love, like; **— mieux** prefer
ainsi thus, so, in this way; **— que** just as, as also
air *m.* air; tune; appearance, look; **avoir l'—** seem, look; **promesses en l'—** empty promises (*A. viii*)
aise *f.* ease; **à l'—** comfortable, at ease
ajouter add
ajuster adjust
alcool *m.* alcohol; spirits, strong drink
alerte alert, quick
alignement *m.* line
aligner: s'— be placed in a row
alimenter feed
aller go; be going (*well, ill*); become, suit; **— bien** be well; **— chercher** go and get; **— pour** start to; **allons!** come, come!; **ça va** things are going well, I am all right; **il va de soi** it goes without saying; **il va sur ses sept ans** he is going on seven; **ne va pas croire cela** don't you believe that; **s'en —** go away; **va!** believe me!; **vas-y** go ahead
allier: s'— à marry into
allô hello
allumer light
allusion *f.* allusion
alors then; **— que** when; **— même que** even though

alphabet *m.* alphabet
amabilité *f.* kindness
amateur *m.* bidder, prospect
ambassadeur *m.* ambassador
ambition *f.* ambition
âme *f.* soul, spirit
amener bring
am–er, –ère bitter
amèrement bitterly
ami, –e *m. and f.* friend; **mon —** my dear (*P. ii*)
amitié *f.* friendship; **faites-moi l'— de** be so kind as to
amonceler accumulate, pile up
amour *m.* love, affection
amouracher: s'— de fall head over heels in love with
amoureusement lovingly
amoureu–x, –se (de) in love (with)
ample roomy
amuser amuse, entertain; **s'—** amuse oneself, have a good time; **s'— de** laugh at
an *m.* year; **nouvel —** New Year's Day
ancêtre *m.* ancestor
ancien, –ne ancient, old; former
âne *m.* donkey
anglais English
Angleterre *f.* England
angoisse *f.* anguish
animation *f.* animation
animer: s'— become animated, get excited
année *f.* year
annoncer announce
antichambre *f.* waiting-room
anxieu–x, –se anxious
apache *m.* hooligan
apaisement *m.* appeasement
apercevoir perceive; **s'— (de)** notice, realize, find out
apitoyer move to pity
aplatissement *m.* truckling
Apocalypse *f.* Apocalypse
apparaître appear
apparition *f.* appearance, arrival
appartement *m.* apartment, room
appartenir belong
appel *m.* call, appeal; **faire — à** call upon, summon up
appeler call; **il s'appelle** his name is
appesantir: s'— insist, dwell (*too much*)
appétit *m.* appetite
application *f.* application, diligence
appliquer apply, put
apporter bring
appréciation *f.* judgment, valuation
apprécier appreciate
appréhender apprehend, dread
apprendre learn; teach, tell
approcher bring close; **— de** approach; bring close to; **s'— (de)** approach, draw near (to)
approuver approve; **— de la tête** nod approval
appuyer stress, bear down, emphasize; **s'—** lean
après *prep.* after; *adv.* afterwards; **Et —?** So what?
âpreté *f.* bitterness, sharpness
aptitude *f.* aptitude
arbre *m.* tree
architecte *m.* architect
argent *m.* silver; money
argenterie *f.* silver ware, plate
arme *f.* fire-arm

armoire *f.* wardrobe, cupboard
arrache-clous *m.* nail-claw
arracher tear away, wrench, get out
arrangement *m.* arrangement; **prendre** — make arrangements
arranger arrange, fix up; **arrangé** set, tidy (*A. viii*)
arrêt *m.* stop, stopping; judgment, decree
arrêter stop; fix; arrest; — **un regard** fix one's eyes; **s'**— stop, become fixed
arrière *m.* rear; **à l'**— in the rear
arrivée *f.* arrival
arriver arrive; happen; — **à faire qch.** succeed in doing sth.; **en** — **à** be reduced to (*S. iii*)
arroser water
art *m.* art
article *m.* article
ascension *f.* rise
asile *m.* asylum
aspect *m.* appearance
aspiration *f.* aspiration
aspirine *f.* aspirin
assassin *m.* assassin, murderer
asseoir: s'— sit down
assez enough, sufficiently, rather
assiduité *f.* constant attention
assidûment assiduously
assiette *f.* plate
association *f.* association
associer: s'— join together
assombrir: s'— become gloomy
assurance *f.* assurance, self-confidence
assurer assure
astiquer polish
astre *m.* star
attachement *m.* fondness
attacher attach; **s'**— (**à**) cling; become attached (to), fond (of)
attaquer attack
atteindre attain, reach
attenant next, adjoining
attendre wait for, await, expect; **s'**— **à** expect to
attendrir touch, move; **attendri** compassionate; **s'**— become emotional, be moved
attente *f.* wait, waiting
attention *f.* attention; —**!** look out! **faire** — pay attention
atterrer overwhelm, astound
attirer draw, attract
attitude *f.* attitude
attraper catch
attrister sadden
aubaine *f.* godsend
auberge *f.* inn
aucun, -e any; no, none, not any
aucunement: ne . . . — not at all
au-dessous (**de**) below
au-dessus (**de**) above; upstairs
audience *f.* audience; hearing; **donner** — receive (people)
augmenter increase
aujourd'hui today
auparavant beforehand
auprès near, with; — **de** near, beside, to
auquel, -le to whom, to which
aussi also, too, besides, as; so, therefore
aussitôt immediately; — **que** as soon as
austère severe
autant so much, as much, as many; — **dire** you might as well say; **d'**— **que** especially since

auto *f.* auto, car
automatique automatic
automobile *f.* automobile
autoriser authorize
autoritaire authoritative
autorité *f.* authority
autour around; — **de** around
autre other, different, else; **nous autres** *etc.* we (*emphatic*); **quoi d'—** what else
autrefois formerly, in the past, the old days
autrement otherwise
avaler swallow
avance *f.* advance; **d'—** in advance
avancer advance; **l'heure avance** it's getting late (*P. ii*); **s'—** advance
avant (de) before; **en —** in front, downstage
avantageu–x, –se advantageous, favorable
avec with
avenant attractive
avenir *m.* future
aventure *f.* adventure
avertir warn
aveugle blind
avidement greedily, eagerly
avidité *f.* avidity, eagerness
avis *m.* opinion; piece of advice
aviser perceive, catch a glimpse of; **s'—** bethink oneself; **s'— de** take it into one's head to
avocat *m.* lawyer
avoir have, hold; — **beau faire qch.** do sth. in vain; — **deux ans** be two years old; **il y a** there is, there are; ago; the matter is; **qu'y a-t-il?** what's the matter? *n. m.* property
avouable avowable
avouer confess

B

babiole *f.* knick-knack
bafouer scoff, jeer at
bagne *m.* prison, penitentiary
baigner: s'— bathe; go swimming, bathing
baignoire *f.* bath-tub
bail *m.* lease
bain *m.* bath, dip
baiser *vb.* kiss; *n. m.* kiss
baisser lower
bal *m.* dance; dance-hall
balancer balance; **se —** rock, see-saw
balle *f.* ball; *slang for franc,* smacker, berry
banal commonplace
bande *f.* party, group, gang
bandit *m.* bandit
banque *f.* bank, banking
barbe *f.* beard; **vieille —** old bore, stuffed shirt
barrer: se — make off, skedaddle
baptême *m.* baptism; **nom de —** Christian name
bas, –se low, lower; *adv.* in a low voice; *n. m.* lower part; **en —** below
baser: se — base one's opinion
bavardage *m.* idle conversation, chat, talk
bavarder chat, talk, pass the time of day
beau, bel, belle beautiful, handsome, fine; **avoir beau faire**

qch. do something in vain; **on a beau dire** no matter what one says; **voilà du beau** here's a pretty business (*S. vi*); *n.f.* **belle,** sweetheart
beaucoup much, many; greatly, very
beau-père *m.* father-in-law
beauté *f.* beauty
bée open, gaping
bénéfice *f.* profit
besogne *f.* work
besoin *m.* want, need; **avoir — de** need; **au —** if necessary
bête foolish, stupid
bêtise *f.* silliness, silly thing, foolish act
biais *m.* slant; **de —** on a slant
bibelot *m.* bibelot, knick-knack
bibliothèque *f.* library; book-case
bicoque *f.* shanty
bicyclette *f.* bicycle
bien *adv.* well, very, surely, indeed, all right, very well; **ou — . . . ou —** either . . . or else; **— que** although; (*with adj. function*) good, decent, nice, fine, good looking; **être — avec** be on good terms with (*S. iii*); *n. m.* good; goods, wealth, property; **faire du — à** do good to, help
bien-être *m.* well-being
bientôt soon, shortly; **à —** goodbye, see you soon
bienveillant kind, benevolent
bienvenu welcome; **être le —** be welcome
billet *m.* note
biscuit *m.* biscuit, cracker
bizarre eccentric, strange
blaguer joke, tell stories; make fun of, kid
blâmer blame
blanc, blanche white
blanchir turn, grow, white
blé *m.* wheat; **dans les blés** in the wheat fields
blesser wound
bleu blue
blouse *f.* smock, work apron
bluffer bluff, put on airs
bock *m.* (*small*) glass of beer
boire drink
bois *m.* wood, forest
boisson *f.* drink
boîte *f.* box; (*slang*) school
bol *m.* bowl
bon, bonne good, kind; **un — moment** a good bit of time; **pour tout de —** seriously, in earnest
bond *m.* leap, rush
bondir jump, leap
bonheur *m.* happiness; good fortune; **par —** fortunately
bonhomme *m.* good sort, chap, old fellow; **mon —** my good man; **suivre son petit — de chemin** keep plugging ahead, be successful in a small way (*S. iii*)
bonjour good-day, good-morning, *etc.*
bonne *f.* maid
bonsoir good-evening, good-night
bonté *f.* kindness, goodness
bord *m.* edge, border; **au —** on the edge
bosse *f.* bump; **avoir la — de** have a bump, gift, for
bouche *f.* mouth; **la — en cœur** simpering

bouch–er, –ère *m. and f.* butcher, butcher woman
bouder sulk
bouger budge, move
bouillotte *f.* kettle
boulevard *m.* boulevard
bouleverser upset
boulot *m.* job; **au —** up and at it!
bouquin *m.* book
bourg *m.* town
bourgeois bourgeois, middle-class; **la —e** the missis, the wife
bourlinguer knock about
bout *m.* end; little bit, piece
boutique *f.* shop
boutiquerie *f.* shopkeeping (*neologism*)
boutiqui–er, –ère *m. and f.* shopkeeper
bouton *m.* button; door-knob
branche *f.* branch, bough
brandir flourish
bras *m.* arm
brave good, decent, worthy
bravo bravo, well done!
bravoure *f.* bravery, gallantry
bredouiller stammer
bref *adv.* briefly, in a word
briller shine
brique *f.* brick
briser break; **se —** break
bronche *f.* bronchial tube
bronze *m.* bronze (*statue*)
brouiller: être brouillé be on bad terms; **se —** quarrel
brousse *f.* bush, wilds
broyer crush
bruit *m.* noise, sound
brûler burn
brusque sudden, brusque, abrupt
brusquement suddenly, brusquely, bluntly
brusquer be sharp, abrupt, with
brutalité *f.* brutality
bruyamment noisily
bûcheron *m.* woodcutter
buffet *m.* sideboard; lunch room
bulletin *m.* bulletin
bureau *m.* office; desk; **— de tabac** tobacco shop
but *m.* end; goal, objective
butin *m.* loot

C

ça *abbrev. of* **cela**
çà hither; **oh! çà!** oh, indeed!
cabane *f.* hut, shed
cabaret *m.* cabaret, wine shop
cabinet *m.* closet; study; **— de travail** study; **— d'avocat** lawyer's practice
cache-cache *m.* hide-and-seek
cache-nez *m.* muffler
cache-pot *m.* flower-pot cover
cacher hide
cachet *m.* tablet
cadre *m.* frame; **pompe de —** pump to be attached to the frame of a bicycle
cadre-chevalet standing frame
café *m.* coffee; café, coffee-house
caisse *f.* cash drawer, cashier's desk
cale-pied *m.* toe-clip
calme *m.* calm, calmness; *adj.* calm
calmer calm; **se —** calm down
calorifère *m.* furnace
camarade *m. and f.* comrade; **devenir très —s** become very good friends, pals
cambriolage *m.* burglary

cambrioler burgle, rob
cambrioleur *m.* burglar
camp *m.* camp; **ficher le** — *see* **ficher**
campagnard *m.* countryman
campagne *f.* country
canapé *m.* sofa
cantique *m.* hymn
cantonnière *f.* drapery
capable capable
capit–al, –aux *adj.* capital; *n.f.* capital (*city*); *n.m.* capital, assets, money
caprice *m.* caprice, whim
car for, because
caractère *m.* character
caresser caress
carreau, –x *m.* square, check, windowpane
carte *f.* card
cas *m.* case, event; **pour le — où** in case
cascadeur *m.* reveller; **le chapeau** — with his hat over one ear
caserne *f.* barracks
casier *m.* rack
casino *m.* casino
cassant brittle
casse *f.* breakage
casser break
catégorie *f.* category
cathédrale *f.* cathedral
Catholique Catholic
cause *f.* cause; **à — de** because of
causer cause; talk, chat
cavali–er, –ère off-hand
caveau *m.* burial vault
ce this, that, it, he, she, they; **ce, cet, cette, ces** this, that, these, those, *etc.*; **c'est que** the fact is that
ceci this
céder give up, sell, transfer
cela that; **c'est** — that's it; **comment** — how's that
cellier *m.* store-room
celui, ceux; *f.* **celle(s)** (**celui-ci,** *etc.*) he, she, they, the one(s), this (these) one(s), the former, the latter, that one, these, those, *etc.*
cent hundred; **pour** — per cent
centaine *f.* (*about*) a hundred
centime *m.* centime (*hundredth part of franc*)
centre *m.* center
cependant however, nevertheless; — **que** while
cérémonie *f.* ceremony
cerise *f.* cherry; **—s à l'eau-de-vie** brandied cherries
certain certain
certainement certainly
certes certainly
cerveau *m.* brain
cesse *f.* cease, ceasing
cesser stop, cease
chacun, –e each, everyone
chagrin *m.* sorrow
chaise *f.* chair
chaleur *f.* warmth, heat; **par cette** — in this heat
chambre *f.* room, bedroom, chamber; **la Chambre** the Chamber of Deputies; — **à coucher** bedroom; — **à air** inner tube
champ *m.* field; **fleurs des —s** wild flowers
chance *f.* chance; luck; **avoir de la** — be lucky
chandelier *m.* candlestick
changement *m.* change

changer change; — **de** change
chanson *f.* song
chanter sing
chantier *m.* yard, work yard, lumber yard
chapeau *m.* hat
chaque each, every
charge *f.* burden, load; **les —s** the extras (*charges for water, service, etc.*) (*L. viii*)
charger load; **se — de** attend to, take charge of
charmant charming, delightful
charmer charm
charrier poke fun at
chasse *f.* hunt
châssis *m.* frame
château *m.* castle, manor house
chatterton *m.* insulating tape
chaud warm, hot
chauffant heated (*S. i*)
chauffer heat
chauve bald
chef *m.* head, chief; **— de cabinet** (minister's) first private secretary
chemin *m.* road, way
cheminée *f.* fireplace
chemise *f.* shirt
cher, chère dear, expensive; *adv.* dearly
chercher look for, seek; try; **aller —** go for, go and get
chéri, –e darling
chev–al, –aux *m.* horse
chevalet *m.* easel
cheveux *m. pl.* hair
chez to, in, at the house, shop, home of; with, in, among, in the case of
chien, –ne *m. f.* dog
chiffre *m.* figure
choisir choose; **faire —** show (*S. iv*)
choix *m.* choice
choquer shock
chose *f.* thing; **toute autre —** something quite different
chrétien, –ne Christian
chronique *f.* news, reports
chut! hush! silence!
cidre *m.* cider
ciel, cieux *m.* sky, heaven
cigarette *f.* cigarette
cimetière *m.* cemetery
cinq five
cinquantaine *f.* (*about*) fifty
cinquante fifty
cinquième fifth
circonspect circumspect, cautious, prudent
circonspection *f.* circumspection
circonstance *f.* circumstance, event
circulaire circular; **un coup d'œil (regard) —** a glance (look) around
cirer wax; **toile cirée** oilcloth
citer cite, mention
citoyen *m.* citizen
clair clear
clairement clearly
classe *f.* class
classer file, shelve
clause *f.* clause
clé = **clef**
clef *f.* key; **mettre sous —** put under lock and key; **— anglaise** monkey wrench
client *m.* client, customer
clientèle *f.* customers
cligner: — de l'œil wink
cloporte *m.* wood-louse

cocher *m.* coachman
cochon *m.* pig; vulgar swine, dirty fellow
codétenu *m.* fellow prisoner
cœur *m.* heart; **avoir le — à l'ouvrage** have one's heart in one's work; **de bon —** heartily, willingly; **de tout mon —** with all my heart; **faire mal au — à qn.** make someone sick; **quel — d'élite** what a choice, great-hearted person; **la bouche en —** *see* **bouche**
cognac *m.* cognac, brandy
coiffer: se — arrange one's hair; **coiffée à la mode** with her hair fashionably dressed
coiffure *f.* (*arrangement of*) hair
col *m.* collar
colère *f.* anger; *adj.* angry
coléreu–x, –se irascible, angry
colérique choleric, fiery
collection *f.* collection; **faire — de** collect
collègue *m. and f.* colleague
coller stick, paste
combien how much, how many, how
combinaison *f.* combination; **être de la —** be in the scheme
comble *m.* heaping measure; **c'est un —** that beats all
comédie *f.* comedy; play-acting
commande *f.* order
commandement *m.* order
comme as, just as, like, as if, something like
commencement *m.* beginning
commencer begin
comment how, what, what do you mean
commerce *m.* business
commettre commit
commissaire *m.* (police) superintendent
commission *f.* errand; commission business
commode convenient; good-natured; *n. f.* chest of drawers
commodité *f.* convenience
commun common; *n. m.* common herd, common run
communiquer communicate
compère *m.* comrade, accomplice
compétence *f.* competence
compl–et, –ète complete, full; *n. m.* suit of clothes; **au —** full up
complètement completely
complice *m.* accomplice
compliquer complicate
componction *f.* compunction; **avec —** gravely
composer compose
comprendre understand
compromettre compromise, jeopardize
compte *m.* account, amount; **à son —** on his own account (*P. ii*); **être loin de —** be sadly out in one's calculations; **se rendre — de** realize; **tenir — de qch.** take something into account
compter intend, count; **sans — que** besides the fact that
comptoir *m.* counter
comte *m.* count
comtesse *f.* countess
concert *m.* concert
conciliant conciliatory
concours *m.* co-operation, help
concurrent *m.* competitor
condamner condemn

condition *f.* condition; social station; *pl.* terms, conditions; **à — de (que)** provided that
conduire conduct, take, drive
conduite *f.* conduct
confesse *f.* confession
confessional *m.* confessional-box
confiance *f.* confidence
confidentiel, -le confidential
confier entrust
confirmer confirm
confitures *f. pl.* jam, preserves
confondre mix up
conforme (à) consistent (with)
conformer: se — à comply with
confortable comfortable; *n. m.* comfort
confortablement comfortably
confus confused, abashed, sorry, embarrassed
congé *m.* leave
congestion *f.* congestion, stroke
connaissance *f.* knowledge, acquaintance
connaître know, be acquainted with; **connu** well known (*P. i*); **s'y — en** be a good judge of
consacrer dedicate
conscience *f.* conscience; consciousness; **avoir — de** be aware, conscious, of; **en —** with a clear conscience
conseil *m.* piece of advice; council; **président du —** prime minister; **tenir le petit —** hold the private committee meeting (*P. iii*)
conseiller recommend
consentir consent
conséquent consistent; *n. m.* **par —** consequently
conservation *f.* preservation; **qualités de —** keeping qualities
conserver keep, save
considérable considerable, notable
considérer consider, look at
consigne *f.* watchword
consoler console; **se — de** get over
consommation *f.* drink
constater verify, see for oneself
consterner dismay
construire build, construct
consulter consult
contempler contemplate, gaze at
contenance *f.* countenance; **par —** to keep oneself in countenance; **pour se donner une —** to keep oneself in countenance
contenir contain; restrain
content happy, content
contenter: se — content oneself, be satisfied
contester question
continuer continue
contraindre force, constrain
contraire contrary; *n. m.* **au —** on the contrary
contrarier thwart, oppose, cross
contrat *m.* contract
contre against; **échanger —** exchange for
contre-passe *f.* reverse
convaincre convince
convenable decent, proper, well-behaved
convenance *f.* fitness; *pl.* convenience
convenir agree, fit, suit; **il convient** *impers.* it is proper, suitable
conversation *f.* conversation
conviction *f.* conviction

convoquer invite, give an appointment
copain *m.* chum, pal
copie *f.* copy; **travail de —** copying work
copropriétaire *m.* joint owner
coquet, –te trim little
coquin, –e *m. and f.* rascal
cornet *m.* trumpet; **porter sa main en —** cup one's hand
corps *m.* body
correspondance *f.* correspondence
cossu rich, rich-looking
costume *m.* costume
côté *m.* side, direction; **à —** beside it (them, *etc.*); **à — de** beside, next to, compared with; **de ce —** in this direction, in this respect; **de chaque —** on each side; **de quel —** on what side; **de son —** for his part, on his side, in his way; **du — de** toward, in the direction of
cou *m.* neck
coucher sleep; **se —** go to bed, retire; **être couché** be lying down, be in bed
coucou ! hoo-hoo !
coude *m.* elbow
couler run, flow
couleur *f.* color
coulisse *f.* (*stage*) wing; **dans la —** offstage
coup *m.* knock, blow, stroke, peal (*of bell*), *etc.;* **— d'œil** glance; **— de soleil** sunstroke; **à petits —s** a little at a time; **tout à —** suddenly; **tout d'un —** all at once; **d'un (seul) —** all at once, with one blow; **monter le —** *see* **monter**
coupable guilty
couper cut
couplet *m.* tirade
cour *f.* court; **faire la — à** pay [court to
courage *m.* courage
courageusement courageously
courant current; **affaires —es** everyday business; *n. m.* current; **mettre qn. au —** inform someone; tell about things (*S. iii*)
courber bend
courbettes *f. pl.* kowtowing, bowing and scraping
courir run
courre hunt, course; **chasse à —** stag hunt
courrier *m.* mail
cours *m.* course, class, lecture; **faire un —** teach a class, give a lecture; **au — de** during
course *f.* race
court short; **pris de —** caught unprepared
courtois courteous
cousin, –e *m. and f.* cousin
coûter cost
couvent *m.* convent
couverture *f.* blanket
cracher spit
craindre fear, be afraid of
crainte *f.* fear
cramponner: se — hang on
créateur *m.* creator
créer create
crème *f.* cream
crépuscule *m.* twilight, dusk
cri *m.* cry, scream, shout
cribler riddle
cri-cri *m.* cricket
crier cry, shout; creak, squeak

crise *f.* attack
crispé nervously on edge
crisper: se — contract
crochet *m.* hook
croire believe, think; **je crois bien !** I should think so !
croiser cross; meet
croître grow
cruel, -le cruel
crûment crudely
cueillir gather
cuir *m.* leather
cuisine *f.* kitchen
culotté cheeky (*slang*)
culte *m.* worship; **avoir le — de** make a cult of, worship
curé *m.* parish priest, rector
cycle *m.* bicycle; **faire le** — be in the bicycle business (*S. vi*)
cycliste *m.* bicyclist

D

dadais *m.* ninny, booby, young fool
damas *m.* damask
dame *f.* lady; **—!** well! the deuce !
danger *m.* danger
dans in, into, within, among, to, at
danser dance
dater date
davantage more, further
de of, from, by, with, for
débarrasser clear, relieve; **se — de** get rid of
débiter recite
déboire *m.* disappointment
debout standing, upright
débrouiller: se — shift for oneself, get along
début *m.* beginning, first
débutant *m.* beginner
décembre *m.* December
déception *f.* disappointment, letdown
décevoir disappoint
décharge *f.* relief; **à sa** — in his defense
décharger relieve, ease
déchiffrer decipher
déchoir decline, run down
décidément decidedly, really, positively
décider decide, resolve; persuade; **se** — decide
décisi-f, -ve decisive
déclarer declare
décontenancé (put) out of countenance
décor *m.* decoration, stage-setting
décourager discourage
découverte *f.* discovery
découvrir discover
décrocher unhook, take down
dédaigner disdain
dédain *m.* disdain
dedans within, inside
dédicace *f.* dedication
défaillir feel faint, weaken
défaut *m.* want, lack; **à — de** failing to; in the absence of, for lack of
défiler file past
définiti-f, -ve definitive; **en —ve** finally, in a word
dégager withdraw
dégonfler deflate; **être dégonflé à l'arrière** have a back tire flat (*S. iv*)
dégoûter disgust
déguiser disguise

dehors outside; **en — de** besides, outside; *n. m.* outward appearance
déjà already
déjeuner lunch; *n. m.* lunch
delai *m.* delay; **à bref** — in the near future
délibérément resolutely
délicieu–x, –se delicious, delightful, charming
délivrance *f.* release
délivrer set free
demain tomorrow
demande *f.* request, application
demander ask; **faire** — send for; **se** — wonder
démarche *f.* step, act
démarrer start off
déménager move out
demeurer remain, stay, dwell, live
demi half, semi; **à** — half
demi-heure *f.* half an hour
demi-soupir *m.* half sigh
dénouement *m.* ending
départ *m.* departure
département *m.* department (*governmental division of France*)
dépasser surpass, go beyond, excel
dépêcher: se — hurry
dépendre (de) depend (on)
dépenser spend, expend; **se** — devote oneself, use one's energies
déplacé out of place
déplaire displease
déplaisir *m.* displeasure
déplier unfold
déposer deposit; — **une plainte** lodge a complaint
dépôt *m.* agency, right to sell, consignment
déprimer depress
depuis from, since
déraisonnable unreasonable
dérailler talk nonsense
dérangement *m.* disturbance, trouble
déranger disturb, trouble; **se** — disturb oneself, take the trouble
derni–er, –ère last
dérober: se — give way, fail
dérouter baffle, confuse
derrière behind
dès since, from the moment of, as early as, by; — **que** as soon as
désagréable disagreeable
désarmer disarm
désastre *m.* disaster
descendre descend, go down, get off; stop, put up, stay
descente *f.* descent, getting off
désespoir *m.* despair
déshonorer dishonor
désigner point out, designate
désinvolte free and easy
désir *m.* desire, wish
désirer desire, wish, want
désordre *m.* disorder
désormais from now on
dessin *m.* design
dessus (*adv.*) thereon, on it; (*prep.*) above, over, upon; *n. m.* top; **au-** — above; **par-** — over, above
destin *m.* fate
destiner: se — à intend to take up, plan to go into
détacher detach, alienate; **détaché** indifferent
détail *m.* detail
détendre relax, calm
détester detest, hate

détourner avert, turn away; **se —** turn away
deux two; **tous les —** both
dévaliser rob
devancer anticipate, forestall
devant before, in front of
devanture *f.* store-front, shop-window; **— vitrée** shop-window
déveine *f.* bad luck
développement *m.* expansion; **prendre du —** grow, expand
développer develop
devenir become, grow, get; **ce que tu deviens** what becomes of you (*P. i*)
deviner (**à**) guess (by), read (*one's character*) aright
dévisager stare at
devoir owe; be obliged to, must, should, ought; *n. m.* duty; home-work
dévoué devoted, loyal
dévouer: se — devote oneself, dedicate oneself
dextérité *f.* adroitness
diable *m.* devil; **du — si** hanged if; *adj.* mischievous, full of fun
dicter dictate
Dieu *m.* God; **—!** goodness! **mon —!** good heavens! dear me! **pour —** for Heaven's sake
différence *f.* difference
différent different
différer differ
difficile difficult; hard to please
digne worthy; dignified
dignement with dignity
dignité *f.* dignity
dimanche *m.* Sunday; **le —** on Sundays
dimension *f.* dimension, size
diminuer diminish, lessen
dîner dine; *n. m.* dinner
diplôme *m.* diploma, certificate
dire say; mean (*S. i*); **vouloir —** mean; **— que . . . !** to think that . . . ! **c'est-à-—** that is to say; **tu peux le —!** I should say so! (*A. viii*); **on dirait la voix** one would think it was the voice (*A. i*); **dites donc!** oh say! look here!
diriger guide, manage; **se —** go, direct one's steps
discerner distinguish; **— qch. de qch.** see a difference between something and something
discours *m.* speech, talk; **tenir des —** hold conversations
discrètement quietly, modestly
discrétion *f.* discretion
discussion *f.* discussion
dispenser: se — de get out of, excuse oneself from
disposer arrange, set, dispose
disposition *f.* disposal; **avoir des —s** have a bent, an aptitude (*S. iii*)
dispute *f.* dispute, quarrel
disputer: se — quarrel, wrangle
dissentiment *m.* difference of opinion
dissimuler dissimulate; **se —** hide; **se — que** shut one's eyes to the fact that
dissiper: se — vanish
dissolution *f.* rubber solution (*for tires*)
distinction *f.* distinction, elegance
distraction *f.* amusement
distrait absent-minded

divaguer wander; rave
divers various
dix ten
docile docile
docilement obediently, with docility
document *m.* document
doigt *m.* finger
domestique *m. and f.* servant
dominant predominant
dominer master, control, overcome, overawe
donc then, therefore, hence; pray, please
donner give; — **dans** lean to, have a taste for (*P. i*); — **en exemple** hold up as an example; — **sur** give on, lead to; (à) **un moment donné** at a certain moment, at one time
dont whose, of which, from which, with which, of whom, *etc.*
dormir sleep
dos *m.* back
dossier *m.* back (*of chair*)
double double; **doubles rideaux** curtains
doubler double; line
doucement sweetly, softly, quietly, gently
doué gifted
doute *f.* doubt
douter doubt; — **de** doubt; **se** — (**de**) suspect, imagine, be aware (of)
dou–x, –ce soft, sweet, gentle
douze twelve
dramatiser dramatize
drap *m.* sheet
dresser erect, draw up
droit right, straight; *n. f.* **droite** right (*side*); **à** (**de**) — on the right; **à — et à gauche** everywhere
droit *m.* right, privilege; law; **être en — de** have a right to; **faire — à** allow (*S. iii*); **faire son —** study law
drôle funny; **un — de bonhomme** a queer chap
dur hard, difficult; **avoir l'oreille —e** *see* **oreille**
durer last, endure

E

eau *f.* water
eau-de-vie *f.* brandy
éblouir dazzle
écarquiller open wide (*the eyes*)
écarter open wide; **s'—** step aside, move away, turn aside
ecclésiastique *m.* ecclesiastic
échanger exchange
échapper escape
écho *m.* echo
éclaircir: s'— thin out, grow thin (*of hair*)
éclat *m.* burst, outburst, rumpus, scandal, break; **avec —** sharply, loudly, enthusiastically; **rire aux —s** laugh heartily
éclater burst out; — **de rire** burst out laughing
éconduire get rid of
économie *f.* thrift; *pl.* savings, economies
économiser economize, save
écouter listen (*to*)
écrire write
écriteau *m.* sign
écrou *m.* nut

éducateur *m.* instructor
éducation *f.* bringing-up, education
effacer erase, wipe out
effectivement really
effet *m.* effect, result; **en —** indeed
effondré prostrate
effondrer: s'— sink, fall
effort *m.* effort
effrayer frighten, terrify
effroi *m.* fright
égal equal; **c'est —** it's all the same, it doesn't matter
également equally, likewise
égaler equal
égard *m.* regard, respect; **à l'— de** toward, in regard to; **à tous —s** in every respect
égayer: s'— make merry, be amused
église *f.* church
élan *m.* enthusiasm, whole-heartedness, inspiration
élargir widen, broaden
électeur *m.* voter, constituent
électricité *f.* electricity
élégant elegant, fashionable
élève *m. and f.* pupil
élever bring up; **parfaitement (bien) élevé** (very) well-bred; **s'—** rise up
élite *f.* élite; **un être d'—** one person in a thousand
elle *f.* she, her, it
éloge *m.* praise; **faire des —s de** sing the praises of
éloigner estrange; **s'—** move away, retire
éloquent eloquent
éluder evade
embarras *m.* embarrassment
embarrasser embarrass
embêtant annoying
embrasser embrace, kiss
émerveiller: s'— marvel, be amazed
emmener take (*along*)
émotion *f.* emotion
émoussé dulled
émouvoir move (*with emotion*), touch; **ému** touched, emotional
empaqueter wrap up
empêcher prevent; **n'empêche que** all the same (*A. iii*)
emplâtre *m.* tire patch
emplir fill
emploi *m.* employment, occupation
employé *m.* employee, clerk
employer employ, use
empoigner grasp
emporter carry away, take away
empressement *m.* eagerness, alacrity
empresser: s'— hurry; **s'— autour de qn.** dance attendance on someone
emprunt *m.* loan; **faire un —** raise a loan (*P. ii*)
emprunter borrow
ému *see* **émouvoir**
en (*prep.*) in, into, to, within, while, with, made of, like (a), as (a); *adv. and pron.* from there, of (from, by, with, *etc.*) it, him, her, them; some, any
encadrement *m.* door-frame
encaisser receive or pocket money
enchanter delight, thrill
encombrer encumber
encore still, yet, again, besides, all

the same; — **un** another; — **un peu** a little more; **et — n'ai-je pas continué** and even then I have not continued (*S. i*); **si —** if only (*P. ii*)
encre *f.* ink
encrier *m.* ink-stand
endormir: s'— go to sleep
endosser put on
endroit *m.* place; **par —s** here and there, in places
endurer endure
énergique energetic
énerver: s'— get excited
enfance *f.* childhood
enfant *m. and f.* child; **être bon —** be good-natured; *adj.* childish (*P. iii*)
enfin finally, after all, in a word
enfuir: s'— flee
engagement *m.* contract
engager engage
enlever (**à**) take away (from), take off
enliser: s'— sink, be sucked down
ennemi *m.* enemy
ennuyer annoy, worry; **s'—** be bored
énorme enormous
enregistrement *m.* registry; **bureau d'—** registry office
enrichir enrich, make wealthy
enrichissement *m.* enrichment
enseignement *m.* teaching
ensemble together
ensuite then, next, afterward
entendement *m.* understanding
entendre hear, understand; **entendu** agreed; **bien entendu** of course; **s'—** get on well; agree; understand each other; come to an understanding; **s'entend** of course (*S. i*)
enterrer bury
en-tête *m.* heading (*of letter*); **papier à —** business stationery (*with printed heading*)
enthousiasme *m.* enthusiasm
enthousiaste enthusiastic
entiché de infatuated with
entièrement entirely
entourage *m.* fence
entourer surround
entre between, among, in
entrée *f.* entrance, beginning
entreprendre undertake
entreprise *f.* undertaking, venture, enterprise
entrer enter, get in, come in; **faire —** show in
entretenir talk, converse
entretien *m.* upkeep
entrevoir catch sight of
entrevue *f.* interview
enveloppe *f.* envelope
envelopper envelop, wrap up
envie *f.* desire, longing; **avoir — de** want, have a fancy for; have a mind to, feel like
environs *m. pl.* environs, surroundings
envisager envisage
envoi *m.* letter
envoyer send; throw (*P. i*); **— promener** *see* **promener**
épaissi stouter, fatter
épanouir: s'— give vent to joy, beam
épargner: s'— save oneself
épaule *f.* shoulder
éperdûment emotionally

épicier *m.* grocer
éponger mop, wipe
époque *f.* epoch, time
épouser marry
épou–x, –se *m. and f.* husband, wife
épreuve *f.* trial, test
équilibre *f.* balance
erreur *f.* mistake
espace *m.* space
espèce *f.* kind, sort, species
espérer hope, hope for
espièglerie *f.* mischievousness
espoir *m.* hope
esprit *m.* wit, mind, intelligence
esquiver: s'— escape, slip away
essai *m.* try, trial; **à l'—** on trial
essayer try
essentiel, –le essential
essuyer wipe
estime *f.* esteem
estimer estimate, value, appraise; consider; esteem
et and
établir establish, set up; draw up
établissement *m.* establishment
étage *m.* floor, story; **le premier —** the second floor
étang *m.* pool, pond
état *m.* state, condition; **l'— des lieux** inventory (*of the fixtures*) and statement of condition; **en l'—** in the present state (*S. vi*); **faire — de** bring up (*as a reproach*) (*P. ii*)
été *m.* summer
éteint extinguished, dull, faint
étendre extend
Éternel: l'— God, the Lord
éternellement eternally
étioler: s'— grow sickly
étiquette *f.* label
étoile *f.* star
étonnement *m.* surprise, astonishment
étonner surprise, astonish; **s'—** be surprised, amazed
étouffer suffocate
étourdir: s'— stun oneself, drown one's sorrow
étrang–er, –ère strange, foreign; *n. m. and f.* stranger, foreigner
étrangler choke, strangle; **s'—** choke
être be; (*as aux.*) have; **c'est que** the fact is that, it is because; **n'est-ce pas?** isn't it so? aren't you? won't you? *etc.;* **ça y est!** there you are! it's done; *n. m.* being
étriqué cramped, skimpy
étude *f.* study; office; **faire ses —s** study, take courses
étudiant *m.* student
étudier study
évasi–f, –ve evasive
éveil *m.* awakening; **être en —** be wide-awake, on the alert
éveiller awaken
évidemment evidently, obviously
évidence *f.* evidence; **en —** in a conspicuous position
évident evident, obvious
éviter avoid
évoquer recall, evoke
exactement exactly
exagérer exaggerate
exaltation *f.* (rapturous) excitement
exalter: s'— become enthusiastic, excited
examen *m.* examination

examiner examine, look carefully at
exaspérer exasperate
exaucer fulfil
excédé out of patience
excellent excellent
exceptionnel, -le exceptional
exceptionnellement exceptionally
excès *m.* excess
exclamer: s'— exclaim
exclusivement exclusively
exclusivité *f.* exclusive rights
excursion *f.* trip, outing
excuse *f.* excuse; **faire des —s** apologize
excuser excuse; **s'— (de)** apologize (for)
exécuter execute
exemple *m.* example; **donner en —** *see* **donner; par —!** upon my word! bless my soul! **par —** for example
exempt exempt, free
exercer carry on
exigeant exacting
exiger require
existence *f.* existence
exister exist
expatrier: s'— leave one's country
expédition *f.* mailing, sending out
expliquer explain
exploiter carry on, run, manage; take advantage of (*L. viii*)
exposer lay open; **être exposé à** be exposed to, run the risk of
exposition *f.* exposition, exposure; **— universelle** world's fair
exprès on purpose
express *m.* express (*train*)
expression *f.* expression
exprimer express
exquis exquisite
extérieur *m.* outside
extirper eradicate
extraordinaire extraordinary
extraordinairement extraordinarily
extrême extreme
extrémité *f.* extremity

F

fabrication *f.* manufacture
fabriquer manufacture
face *f.* face; **— à** facing; **en — de** opposite, faced with; **d'en —** opposite
fâché sorry, angry, annoyed
facile easy
façon *f.* way, manner; **— de parler** manner of speaking; **de — que** in such a way that; **de toute —** in any case; **sans —** without any ceremony, without ado
facultati-f, -ve, optional
faible weak
faiblement weakly
faiblesse *f.* weakness
faïence *f.* crockery
faillir fail; **— faire qch.** just miss doing something, almost do something
faire make, make up, compose; do; (*causally*) make, cause, have; say; **— de** do with; **se —** (*impers.*) become, grow, happen, come about; **il fait beau, froid,** *etc.* it is good weather, cold, *etc.*, **il fait bon** it is pleasant; **ça ne fait rien** it doesn't matter

fait *m.* fact, deed; **en — de** as regards; **tout à —** entirely, quite
fait-divers *m.* news item, scandal
falloir be necessary, must; **l'homme qu'il nous faut** the man we need
fameu–x, –se famous
familiale (*adj.*) family
famili–er, –ère familiar, habitual
famille *f.* family
fantaisie *f.* fancy; novelty
fardé rouged, made up
fardeau *m.* burden
fatigue *f.* fatigue
faute *f.* fault; **sans —** without fail
fauteuil *m.* armchair
favoriser favor
fébrilement feverishly
feindre pretend, sham
féliciter congratulate
femme *f.* woman, wife
fenêtre *f.* window
fer *m.* iron
ferme steady, firm
ferme *f.* farm
fermer close, shut, shut up; **fermé** closed, shut; inscrutable
fermeté *f.* firmness
ferveur *f.* fervor
fête *f.* feast, party; **faire — à** make a lot of; **les jours de grande —** the principal feast days (*Christmas*, *Easter*, *etc.*)
feu *m.* fire; passion; **— de paille** flash in the pan
feuille *f.* leaf; sheet
ficher fix; **— le camp** (*vulgar*) get out, hop it
fichtre my word! hang it!; **ce n'est — pas moi** I'll be hanged if it's I (*P. ii*)
fidèle faithful
fier, fière proud
fièvre *f.* fever
figure *f.* face
figurer: se — imagine; **figure-toi que** just fancy
fil *m.* thread; wire; **de — en aiguille** going from one thing to another, little by little
filant: étoile — shooting star
filer clear out, rush
fille *f.* girl; daughter; **jeune —** girl, young woman
filou *m.* swindler
fils *m.* son
fin *f.* end
finement slyly, subtly
finesse *f.* finesse, delicacy
finir end, finish, conclude; **— par** + *inf.* finally . . . ; **il faut en finir** we must make an end to it (*L. viii*)
firme *f.* firm
fixement fixedly; **regarder —** stare (at)
fixer fix, fasten; **se —** be fastened; settle
fjord *m.* fiord
flair *m.* flair; **avoir du —** have a keen nose
flanc *m.* flank
flatter flatter; **se — de** + *inf.* take pride in
flatteu–r, –se pleasing, flattering; *n. m.* flatterer
fleur *f.* flower; **en —** blooming
fleurir flower
flot *m.* wave; **le soleil entre à —s** the sun comes flooding in (*A. viii*)
foi *f.* faith; **ma —!** my word!

fois *f.* time; **une** — once; **à la** — at the same time; **des** — sometimes
folie *f.* madness, piece of folly
fond *m.* rear; bottom; backstage; innermost part of; **à** — through and through; **au** — at the rear; after all, fundamentally, in reality
fondation *f.* founding, foundation
fonder found
fonds *m.* funds; — **de boucherie** butcher's business; — **de commerce** business
football *m.* soccer
force *f.* strength, force; **à** — **de** by dint of
forcément necessarily
forcer force
forêt *f.* forest
forger forge; **fer forgé** wrought iron; **se** — **des idées** fabricate, trump up, notions for oneself
forme *f.* shape
fort strong, big; — **des bras** strong in the arms; **c'est un peu** — that's a bit thick (*L. vi*); *adv.* strongly, very, extremely; *n. m.* **le plus** —, **c'est que** the worst of it is that
fortune *f.* fortune; **faire** — make one's fortune
fou, fol, folle mad, crazy
fouiller search
foule *f.* crowd, horde
fourchette *f.* fork
fournir furnish; **se** — **(de)** supply oneself (with), trade
fournisseur *m.* supplier; — **de S. M.** by special appointment to Her Majesty (*S. i, vi*)
foutre (*not decent, usually abbreviated to* **f . . .**) — **la paix** shut up, close one's trap
foyer *m.* home
frais *m. pl.* expense
fran–c, –che frank
franc *m.* franc
France *f.* France
franchement frankly
frange *f.* fringe; **à** —**s** fringed
frapper knock, strike
frémir quiver, tremble
fréquenter attend, frequent
frère *m.* brother
frileu–x, –se sensitive to the cold, chilly
fripouille *f.* blackguard
frites *f. pl.* (French) fried potatoes
froid cold; *n. m.* cold
froidement coldly, coolly
froideur *f.* coldness
froncer wrinkle; — **les sourcils** frown
front *m.* forehead; front; **le** — **levé** with one's head high (*A. viii*)
froussard *m.* coward
fructifier bear fruit
fruit *m.* fruit
fruitière *f.* fruit seller, fruit woman
fuir flee
fumer smoke
fumiste *m.* wag
fur *m.* rate; **au** — **et à mesure que** progressively as
fureur *f.* fury
furieu–x, –se furious; **folie** —**se** raving madness
futur future

G

gagner earn, gain; reach, go to; spread
gai gay, cheerful, merry
gaillard vigorous, well; *n. m.* chap, fellow
gaîment gaily
gain *m.* gain, profit
galamment gallantly
galant gallant
galvaniser galvanize
gamin *m.* youngster, urchin
gant *m.* glove
garantie *f.* guarantee
garantir guarantee
garçon *m.* boy
garde *f.* care; **prendre** — take care, pay attention
garder keep, preserve; — **la chambre** stay in one's room
gare *f.* station
garer: se — keep out of the way
garnement *m.* scamp
garnir furnish, fill
gars *m.* young fellow, lad
gaspiller waste
gâteau *m.* cake; **papa** — granddaddy; fond, indulgent uncle
gâter spoil
gauche left; awkward; *n. f.* **à, sur la** — on the left
gaz *m.* gas
geler freeze
gendarme *m.* gendarme, constable
gêne *f.* constraint
gêner embarrass, put out; **se** — be embarrassed, stand on ceremony
général general
génération *f.* generation
généreusement generously
généreu–x, –se generous
génie *m.* spirit, genius
genou *m.* knee; **tomber à —x** kneel down; **à —x!** on your knees!
genre *m.* kind, genre
gens *n. m.* (*but descriptive adj. immediately preceding* **gens** *are feminine*) people; **jeunes** — young men
gentil, –le pretty, pleasing, nice, kind
gentillesse *f.* kindness
géranium *m.* geranium
gérer manage
geste *m.* gesture
glace *f.* glass, mirror; **armoire à** — wardrobe with a mirror
glacer chill, dampen (*enthusiasm*)
gloire *f.* glory
glycine *f.* wistaria
goguenard mocking
gonfler fill, blow up
gorge *f.* throat; **avoir la — serrée** have a lump in one's throat
gosse *m. and f.* youngster, kid
gouailleu–r, –se mocking
goût *m.* taste
goûter taste; have a bite to eat, take a snack
gouvernement *m.* government
grâce *f.* grace; thanks; **rendre** — give thanks; — **à** thanks to; **de bonne** — willingly
gracieu–x, –se graceful, pleasing; polite, courteous
grade *m.* grade, rank
grand great, large, tall, long, important; **une —e heure** a good hour

grand'chose much
grandir grow, grow up
grand'mère *f.* grandmother
gras, –se fat; **plante —** thick leaved plant
grassouillet, –te plump
gratis free
gratuit free, gratuitous
grave serious
gravement seriously
gré *m.* liking; **savoir (bon) — à** be grateful to
grelot *m.* bell
grever burden
grief *m.* grievance
griffonner scribble
grincement *m.* squeaking
gris gray
griser: se — become intoxicated, get drunk; **— de rêves** luxuriate in dreams (*A. viii*)
gronder scold
gros, –se big, stout; *n. m.* bulk; **boucher en —** wholesale butcher
groseille *f.* currant, gooseberry
grossir grow fat
grouiller: se — get a move on
guère hardly, scarcely; **ne . . . —** hardly
guéridon *m.* pedestal table; **table —** pedestal table
guerre *f.* war
guet *m.* watch; **faire le —** keep watch
guêtres *f. pl.* spats
gueule *f.* snout; (*vulgar for face*) [mug
guide *m.* guide
guider guide
guidon *m.* handle-bar
guilleret, –te gay, lively

H

(All words marked with * here begin with aspirate H.)

habile clever
habiller dress
habitant *m.* inhabitant
habiter dwell, live in, inhabit
habitude *f.* habit, custom; **avoir l'— de** be in the habit of
habituel, –le habitual, customary
habituer: s'— à become accustomed to, get used to
***haleter** pant
***hangar** *m.* open shed
harmonie *f.* harmony
***hâte** *f.* haste
***hâter: se —** hasten
***hausse** *f.* rise (*in prices*)
***hausser** raise; **— les épaules** shrug one's shoulders
***haut** high; loud; *adv.* loudly; *n. m.* **en —** high up
***Haute-Garonne** a department of France near the Pyrenees
***hé !** hello !
***hein** eh ? what ?
hélas alas
héritage *m.* inheritance
hésitation *f.* hesitation
hésiter hesitate
***heu !** h'm ! hum !
heure *f.* hour, time, o'clock; **à la bonne — !** that's right ! good ! all right ! **donner l'—** tell the time; **tout à l'—** presently; a little while ago, just now
heureusement happily, fortunately
heureu–x, –se happy, fortunate
***heurter** knock, run into
hier yesterday

hippogriffe *m.* hippogriff
histoire *f.* story, history
hiver *m.* winter
hommage *m.* compliment, regard
homme *m.* man
honnête honest, faithful
honneur *m.* honor
honorer honor
honorifique honorary
***honte** *f.* shame
horizon *m.* horizon
horloger *m.* clock and watch maker
horreur *f.* horror; **avoir — de** detest
***hors** outside; **— de soi** beside oneself
hospice *m.* asylum, home
hospitali–er, –ère hospitable
hospitalité *f.* hospitality
hostile hostile
hôtel *m.* hotel
***housse** *f.* slip-cover
huile *f.* oil
huissier *m.* bailiff, sheriff's officer
***huit** eight; **— jours** a week
humble humble
humeur *f.* humor, disposition; **avec** — pettishly, testily
humidité *f.* humidity
***hurler** shout, shriek, howl, yell
hypothèque *f.* mortgage

I

ici here
idéal *m.* ideal
idée *f.* idea, thought; **se faire une** — have a notion; **venir à l'**— come to one's mind (*P. ii*)
ignorant ignorant; *n.m.* ignoramus
ignorer not know, be ignorant of
il he, it
illuminer: s'— light up
illusion *f.* illusion
image *f.* image, picture; **à votre** — in your image
imagination *f.* imagination
imaginer imagine, picture, devise; **s'**— imagine
imbécile *m.* fool
imiter imitate
immense immense
immobile motionless
impatience *f.* impatience
impérati–f, –ve peremptory
impérieu–x, –se imperious, haughty
impersonnel, –le impersonal
impertinence *f.* impertinence
impitoyable pitiless
impitoyablement pitilessly, ruthlessly
importance *f.* importance
important important, big, considerable; *n. m.* important point
importer signify, matter; *impers.* **n'importe** it doesn't matter; **n'importe qui** anyone whatever, no matter who; **n'importe quoi** no matter what
importun troublesome, intruding
imposant imposing
impossible impossible
impression *f.* impression
impressionner impress, move
imprévu *m.* unexpected character
improbable improbable
improviser improvise
improviste: à l'— by surprise, unawares
inattendu unexpected

incapable incapable
inclinaison *f.* nod
inclination *f.* inclination, bent
incliner: s'— bow
inconvénant unseemly
inconvénient *m.* objection
inculte uncultivated, wild
indécis hesitant
indéfinissable nondescript
indépendance *f.* independence
Indes *f.* Indies
indifférent indifferent, unconcerned
indigné indignant
indisposition *f.* illness
indou Hindu
indulgence *f.* indulgence
indulgent indulgent
industrie *f.* industry
inespéré unhoped-for
inférieur inferior, lower
infiniment extremely
infirmité *f.* infirmity
influencer influence, put pressure on
informer: s'— de make inquiries about
ingénuité *f.* ingenuousness, simplicity
injure *f.* injury, insult
innocent innocent
inqui–et, –ète uneasy, worried
inquiétude *f.* misgiving
insaisissable elusive
insatiable insatiable
inscription *f.* notice
inscrire write down; **s'—** put down one's name
insensiblement by slow degrees
inséparable inseparable
insinuer insinuate
insister insist, dwell (*on a fact*); **— pour** insist on
insouciant carefree
inspecter inspect
inspection *f.* survey
inspirer inspire
installer install, place; **s'—** install oneself, take possession (*of a house*); **s'— en ménage** set up housekeeping
instant *m.* moment; **à l'—** a moment ago
institutrice *f.* governess
instruire educate, instruct
instruction *f.* education
instrument *m.* instrument
insulte *f.* insult
insupportable unbearable
insurmontable insurmountable
intelligence *f.* intelligence
intelligent intelligent
intenable unbearable
intention *f.* intention; **à l'— de qn.** for the benefit of someone, aimed at someone
interdire forbid
interdit disconcerted, nonplussed
intéressant interesting
intéressé *m.* interested party
intéresser interest; **s'— à** be interested in, have an interest in, take up a partnership in
intérêt *m.* interest; interest charge
intérieur inner; *m.* interior, home
interloqué nonplussed
interrogation questioning
interrogatoire *m.* cross-examination
interroger question
interrompre interrupt; **s'—** stop, break off

intervenir intervene
intime intimate
intimité *f.* intimacy
introduire present, show in, get in; **s'—** enter, get in
inutile useless
inventaire *m.* inventory
inventer invent
invitation *f.* invitation
invité *m.* guest
inviter invite
ironie *f.* irony
ironique ironic
ironiquement ironically
irrésistible irresistible
irriter irritate; **s'—** grow angry
isoler isolate
Italie *f.* Italy
itinéraire *m.* itinerary
ivre intoxicated

J

jadis formerly
jamais ever; never; **ne . . . —** never
jambe *f.* leg
jaquette *f.* morning coat
jardin *m.* garden
jardinière *f.* flower stand
jaune yellow
je I
jeter throw, fling
jeu *m.* game; action, acting; **— de scène** stage business
jeun: à — on an empty stomach, fasting
jeune young
jeunesse *f.* youth
jobard *m.* easy mark
joie *f.* joy
joli pretty; **ce serait du —** that would be a pretty state of affairs
jouer play, act
jour *m.* day; daylight, light; **huit —s** a week
journal *m.* newspaper; **— de modes** fashion magazine
journée *f.* day, day long
joyeu–x, –se joyous
jubilation *f.* glee
juge *m.* judge
jugement *m.* judgement
juger judge
jurer swear
jusque till, up to, as far as; **jusqu'à** up to, until, even; **jusqu'à ce que** until; **jusqu'où** how far; **jusqu'ici** until now; **— là** until then
juste just; barely; right; fair; **au —** exactly; **au plus —** at rock bottom price (*S. i*) **tout —** exactly
justement precisely; as it happens
justifier justify

K

kilo *m.* kilogram
kilomètre *m.* kilometer
klakson *m.* klaxon, auto horn

L

la *f.* the; her, it
là there, here, then; **Ah! là! là!** Dear me! Oh boy!
là-bas yonder, down there
labeur *m.* labor
lâcher drop, give up
là-dedans within, in there, in it

là-dessus thereupon, on that
là-haut up there
laid ugly
laideur *f.* ugliness
laisser let, allow; leave; **laisse!** — **donc!** don't bother! don't worry!
laiton *m.* brass
lampe *f.* lamp
lancer: se — launch out, get a start
langage *m.* language
largement amply
largeur *f.* breadth
larme *f.* tear
larmoyant tearful, snivelling
larve *f.* larva, grub
lassitude *f.* weariness
le *m.* the; him, it
léché over-finished, finicky
leçon *f.* lesson
lecture *f.* reading; **faire la** — read aloud
lég–er, –ère light; fresh (*P. i*); **à la** — lightly, without due consideration
légèrement lightly, slightly
légèreté *f.* lightness
légitimement legitimately
legs *m.* legacy
lendemain *m.* next day
lent slow
lentement slowly
lentille *f.* lentil
lequel, laquelle who, whom, which
les *m. and f. pl.* the; them
lettre *f.* letter; **avoir des —s** be a littérateur, a man of letters
leur to them
lever raise; **se** — get up; *n. m.* rise; **au — du rideau** when the curtain rises; — **du soleil,** sunrise
lèvre *f.* lip
liberté *f.* liberty, freedom
libre free; — **de penser** free to think (*A. viii*)
licence *f.* degree granted by university; — **-ès-lettres** degree in arts
lien *m.* bond, tie, relationship
lieu *m.* place, spot; **au — de** instead of; **avoir — de** have a reason to
lieue *f.* league
linge *m.* linen, clothes
liqueur *f.* liqueur
liquider liquidate
lire read
liste *f.* list
lit *m.* bed
littéraire literary
littérature *f.* literature
livre *m.* book
livre *f.* pound
livrer deliver; **se — à** indulge in; **livré à soi-même** left to oneself
livreur delivery-man
locataire *m. and f.* tenant
location *f.* rent
logique logical
loi *f.* law
loin far; **de** — from far away, from a distance
lointain distant
loisir *m.* leisure
Londres London
long, longue long
longtemps a long while
longuement at length
lors then; — **de** at the time of
lorsque when

louable praiseworthy
louage *m.* hire; **voiture de —** hired carriage
louer rent; **à —** for rent
louer praise; **se — de** congratulate oneself on
lourd heavy
loyer *m.* rent (*payment*)
lui *m. and f.* he; him, her, it
lumière *f.* light
lundi *m.* Monday
lutter struggle
luxueu–x, –se luxurious
lycée *m.* school, high-school
lyrique lyric

M

machinalement mechanically
madame *f.* Mrs., madame
mademoiselle *f.* Miss
magasin *m.* store
magnifique magnificent
magnifiquement magnificently
maigre thin, scanty
maigrir grow thin
main *f.* hand; **à deux —s** with both hands; **à la —** in one's hand; **rester dans la —** *see* **rester**
maintenant now
maire *m.* mayor
mais but; **— non!** why no!
maison *f.* house, home, institution, company, firm
maître *m.* master, teacher
majeur of age
majorité *f.* majority
mal *m.* evil, ill, trouble, harm; **— au cœur** *see* **cœur**; **dire du — de** speak ill of, abuse; **faire — à** hurt, harm; *adv.* badly, ill, bad; **être —** be badly off, uncomfortable, bad; **pas — de** a fair amount of, a good many of
malade ill, sick
maladie *f.* illness, sickness
Malaga *m.* Malaga wine
malaise *m.* discomfort
malgré in spite of
malheur *m.* misfortune, unhappiness; **par —** unfortunately
malheureu–x, –se unhappy, unfortunate
malheureusement unfortunately
malice *f.* slyness
malin shrewd
malingre sickly, puny
malle *f.* trunk
maman *f.* mama
manche *f.* sleeve
manche *m.* handle
mander summon
manger eat; run through (*money*)
manier handle
manière *f.* manner, way; **de toute —** somehow or other; **de toutes les —s** in every way
manifeste manifest, evident
manifester show
manque lack, want
manquer miss, lack, fail; **— de** lack; *impers.* **il lui manque** he lacks, he is without
marchand, –e *m. and f.* merchant, dealer
marchandise *f.* merchandise
marche *f.* walk; **fermer la —** bring up the rear; **mettre en —** start
marché *m.* market, bargain; **bon —** cheap

marcher walk, go; get ahead (*A. iii*)
mari *m.* husband
mariage *m.* marriage
marier marry off, give in marriage; **se** — (**avec**) marry, get married (to)
marque *f.* mark, trade-mark
marquer record, note
marquis *m.* marquis
marron brown
martyriser martyrize, torment
mater bring to heel, tame
matériel, -le material
matin *m.* morning
matinée *f.* morning; meeting
mauvais bad
mauviette *f.* softy
me me, to me, for me
méchant mean, bad
méconnaître fail to recognize
mécontent unhappy, discontented
médecin *m.* doctor
médire slander, speak ill of
méditer meditate
méfier: se —de mistrust
meilleur better; **le** — the best
mélancolie *f.* melancholy, dejection
mélancolique melancholy, dejected
mélange *m.* mixture
mêler: se — de interfere with, meddle in
même same, very, self; even; **alors — que** even though; **de** — likewise, in the same way; **quand** — just the same, nevertheless; even though; **tout de** — all the same
mémoire *f.* memory
menacer threaten
ménage *m.* housekeeping, household
ménager treat with consideration, humor; arrange, make, provide
mendiant *m.* beggar
mener lead
méningite *f.* meningitis
mensuel, -le monthly
mentir lie
menu little
méprendre: se — be mistaken
mépris *m.* scorn
mépriser scorn
merci thanks, thank you; no, thanks; **Dieu** — thank God
mercredi *m.* Wednesday
mère *f.* mother; old woman; **la — Vigne** old Mrs. Vigne
mériter merit, deserve
merveille *f.* wonder; **à** — wonderfully
messe *f.* mass
mesure *f.* measure
métal *m.* metal; — **anglais** Britannia metal
métier *m.* trade; **faire un** — ply a trade
mètre *m.* meter; **à 200 —s** 200 meters away
mettre put, set, put on; — **à la porte** turn out; — **les pieds** set foot; **se — à** + *inf.* set about, begin to; **se — d'accord** come to an agreement; **se — livreur** become a delivery man
meuble *m.* piece of furniture
meubler furnish
mi- (*prefix*) half, semi
microbe *m.* microbe

midi *m.* noon; south; **le Midi** the south of France
mie *f.* crumb, soft part of bread
mien, –ne mine; **les miens** my family
mieux better; **le** — best; **du — que je peux** the best I can; **être au** — be on the best of terms; **tant** — so much the better
milieu *m.* middle; (*social*) circle; **au — de** in the middle of
mille thousand
minique *f.* dumb show
minable shabby
minauder simper
mine *f.* look, appearance
ministère *m.* ministry
ministériel, –le ministerial; **liste** — list of cabinet members, ministers
ministre *m.* cabinet member, minister
minuit *m.* midnight
minute *f.* minute
miroir *m.* mirror
mise *f.* attire; — **en scène** staging, stage setting
misérable miserable, wretched; *n. m. and f.* wretch
misère *f.* misery, trouble, poverty
mi-voix: à — in an undertone
mobilier *m.* furniture, set of furniture
mode *f.* style, fashion; **à la** — fashionably
modèle *m.* model
moderne modern
modeste modest, unpretentious
modestement modestly, quietly
modifier alter, change
moi me, to me; I
moindre lesser, smaller; **le** — the least, smallest
moins less, fewer; **le** — the least; **à — de** except for; **à — que** unless; **au —, du —, pour le** — at least, at any rate
mois *m.* month
moissonner harvest
moitié *f.* half
moment *m.* moment
mon, ma, mes my
monde *m.* world; people, society; **tout le** — everybody
monnaie *f.* money, change
monocle *m.* monocle
monologue *m.* monologue
monsieur *m.* Mr. sir, gentleman; — *followed by a title: omit in translation except in direct address, in which case the whole title can be rendered as* sir; *for example,* **Monsieur l'abbé** the priest, *or in direct address* sir *or* father
monstre *m.* monster
montagne *f.* mountain
montant *m.* upright, standard, total amount
monter go up, rise, climb up; bring up; — **à bicyclette** ride a bicycle; — **le coup à** deceive, take in
montre *f.* watch
montrer show, indicate, point out; **se — faible** show weakness
monument *m.* monument, building
moquer: se — make fun; **se — de** make fun of; not to give a rap for, laugh at
moral *m.* nature, character
morceau *m.* piece, bit, morsel

mordicus with might and main
mort dead
mort *f.* death
mortel, –le mortal
mot *m.* word, remark, jest, witty remark; note, letter
moteur *m.* motor, engine
motif *m.* motive, reason
motiver motivate
motocyclette *f.* motor cycle
mouche *f.* fly
moucher: se — blow one's nose
mouchoir *m.* handkerchief
moulin *m.* mill
mourir die
mouvement *m.* motion, action, impulse
moyen, –ne middle, medium; *n. m. pl.* means
moyennant on condition; — **quoi** in return for which
muet, –te dumb, silent
multiplication *f.* multiplication
mur *m.* wall
murmurer murmur
musée *m.* museum
musique *f.* music
mutuellement mutually

N

naître be born; **née** née (*indicates maiden name*)
national national
nature *f.* nature
naturel, –le natural; *n. m.* naturalness
naturellement naturally
ne not
nécessaire necessary
nécessité *f.* necessity
négati–f, –ve negative
nerveusement nervously
nerveu–x, –se nervous
nervosité *f.* irritability
net, –te clean
neuf nine
neu–f, –ve new, fresh, different
nez *m.* nose
ni nor; — . . . — neither . . . nor
niche *f.* prank
nickel *m.* nickel
nièce *f.* niece
nier deny
noble noble
noblement nobly
noce *f.* wedding; **faire la** — be dissipated, have one's fling
nœud *m.* knot
noir black; *n. m.* eye-black, eyebrow pencil
nom *m.* name
nombre *m.* number
nommer name, appoint
non no, not
normal normal, natural
nostalgique nostalgic
notaire *m.* notary
noter note
notion *f.* notion, idea
notre, nos our; **le nôtre, la** —, **les** —**s** ours
nourrir nourish, feed, support, harbour
nous we, us
nouveau, nouvel, nouvelle new, recent; **de nouveau** again
nouvelle *f.* (*piece of*) news
noyer drown; **se** — drown, drown oneself
nuance *f.* suggestion, touch, shade
nuit *f.* night; **cette** — last night

nul, –le no, not one, not any
numéro *m.* number

O

obéir obey
objection *f.* objection
objet *m.* object, thing
obliger oblige
obscurité *f.* darkness
observer observe, watch, look at
obstination *f.* stubbornness
obstinément obstinately
obtenir obtain
obtention *f.* obtaining
occasion *f.* opportunity, occasion, bargain; **à l'—** in case of need
occupation *f.* occupation
occupé busy
occuper occupy; **s'— de** busy oneself with, pay attention to
odeur *f.* odor
odieusement odiously
œil, yeux *m.* eye; **avoir de l'—** be sharp-eyed
œil-de-bœuf *m.* (round) wall-clock
offense *f.* offense
offenser offend
office *m.* church service
officiel, –le official
offrir offer; **s'—** present oneself; **s'— pour** offer to
offusquer offend, shock
oiseau *m.* bird
oisi–f, –ve idle
oisiveté *f.* idleness
on one, someone, people, they, we, *etc.*
oncle *m.* uncle
onde *f.* wave; **— sonore** sound-wave
onze eleven
opéra *m.* opera
opération *f.* operation
opinion *f.* opinion
opposé opposite, opposed
opposer: s'— à oppose, be opposed to
or *m.* gold
or now
orage *m.* storm
ordre *m.* order; **de premier —** first class; **mettre de l'— dans** set in order
oreille *f.* ear; **avoir l'— dure** be hard of hearing; **tendre l'—** strain one's ears
oreiller *m.* pillow
orgueil *m.* pride
orient *m.* Orient
originalité *f.* eccentricity
oser dare
ôter take off
ou or; **— (bien) . . . ou (bien)** either . . . or else
où where, when, to which, in which
oublier forget
oui yes
outil *m.* tool
outre beyond; **passer —** proceed further, disregard (it)
ouvrage *m.* work
ouvrir open; **s'—** open

P

page *f.* page
paille *f.* straw; **feu de —** flash in the pan
pain *m.* bread
paisible peaceful

paisiblement peacefully
paix *f.* peace
pan *m.* section; **fenêtre en — coupé** window in a wall that cuts across a corner
pané breaded; **eau —e** toast soaked in water
panier *m.* basket
panteler pant; **— de** pant for
papa *m.* papa
paperasserie *f.* red-tape
papier *m.* paper
paquet *m.* package
par by, through, out of, per
paradis *m.* paradise; **— terrestre** Garden of Eden
paraître appear, seem
parbleu why, of course!
parce que because
parcourir run over, run through
par-dessus over, above
pardessus *m.* overcoat
pardieu to be sure! Heavens!
pardon *m.* pardon; excuse me!
pardonner pardon
pareil, –le like, similar, such
pareillement likewise
parent *m.* parent, relative
parenthèse *f.* parenthesis; **entre —s** incidentally
parfait perfect
parfaitement perfectly, exactly, quite so!
parfois sometimes, at times
parier bet, wager
parler speak, talk
paroisse *f.* parish
paroissien, –ne *m. and f.* parishioner
parole *f.* word; **homme de —** man of his word
parquet *m.* floor
part *f.* part, portion, share; **à —** aside; **à — que** except for the fact that (*P. i*); **nulle —** nowhere; **pour ma —** as for me, on my side; **prendre sa — de** participate in, have an interest in (*P. i*)
partager share
parti *m.* decision; **— pris** rank obstinacy, prejudice; **prendre un —** make a decision
particularité *f.* peculiarity
particuli–er, –ère private; *n. m.* **en —** in particular
partie *f.* part, party; **faire — de** be a part of, belong to
partir depart, leave, go away; **être longtemps parti** be gone long, be away long (*L. v*)
partout everywhere
parvenir (à) reach, attain
pas *m.* step, pace, gait; **— à —** step by step; **faire un —** take a step
pas not; **ne . . . —** not
passage *m.* passage; **au —** on one's (the) way; **de —** transient, traveling
passé *m.* past
passer pass, go, come, proceed, spend (*time*); **— la commande** send in the order (*S. iii*); **— un examen** take an examination; **— par ici** come this way; **— par-dessus** grow over (it) (*P. i*); **passe encore!** well and good! **passé** past, gone, after; **se —** happen; **se — de** do without, dispense with
passion *f.* passion

passionné passionate
passionnément passionately
pasteur *m.* pastor
paternel, –le paternal
pathétique pathetic
patiemment patiently
patience *f.* patience
patron, –ne *m. and f.* proprietor, proprietress, chief, boss, employer
patronage *m.* church club
pause *f.* pause
pauvre poor; poor dear
pavé *m.* paved road; **sur le —** on the streets, out of work (*A. viii*)
payer pay (for)
pays *m.* country, district, town, home town
paysan, –ne *m. and f.* peasant
pêche *f.* peach; fishing; **aller à la —** go fishing
péché *m.* sin
peindre paint
peine *f.* pain, sorrow, suffering, trouble, difficulty; **à —** scarcely; **avoir de la —** feel bad, suffer; **ce n'est pas la —** it's not worth while; **faire de la — à** hurt; **sans —** willingly; **donnez-vous la — de** be so kind as to
peintre *m.* painter
peinture *f.* painting
pèlerin *m.* pilgrim
pèlerinage *m.* pilgrimage
penaud shamefaced
pencher: se — lean; **— à la fenêtre** lean out of the window; **penché** leaning
pendant during; **— que** while
pendre hang
pendule *f.* clock
pénétrer enter
pénible painful
pénitence *f.* penitence, repentance; **être en —** be in disgrace
pénombre *f.* dusk, semi-darkness
pensée *f.* thought
penser (à) think (of)
pension *f.* boarding-school
pensi–f, –ve thoughtful, pensive
perdre lose; **— de vue** lose sight of
père *m.* father; old man; **le — Blin** old Mr. Blin
péril *m.* risk
période *f.* period
permettre allow, permit
permission *f.* permission, leave
perpétuel, –le perpetual
persister persist
personnage *m.* individual, prominent man, character (*in a play*)
personne *f.* person; nobody; **ne . . . —** nobody, no one, not anybody
personnel, –le personal
personnellement personally
persuader persuade, convince
perte *f.* loss
petit little, small, dear; **mon —** (*to a woman*) my dear (*P. i*)
pétrin *m.* mess, trouble
peu little, few; not very; **un —** a little, some; somewhat, rather; (*with imperative*) just; **un — fumiste** somewhat of a wag; **— à —** little by little
peuh! pooh!
peuple *m.* people
peur *f.* fear; **avoir —** be afraid; **faire — à** frighten
peureu–x, –se timorous, nervous
peut-être perhaps

pharmacien *m.* druggist
philanthropique philanthropic
photo *f.* photo
photographie *f.* photograph
photographique photographic
physionomie *f.* face
physique *m.* physique; **je parle au** — I'm speaking of her looks (*A. viii*)
physiquement physically
piano *m.* piano
pièce *f.* play; room; piece of money, coin
pied *m.* foot; **mettre à** — dismiss, throw out of a job; **mettre les —s** set foot
pieu–x, –se pious
pipe *f.* pipe, pipeful of tobacco
pire worse, worst
pis worse; **tant** — so much the worse, too bad!
pitié *f.* pity
place *f.* place, position, seat, room; **à la — de** in place of; **à votre** — in your place
placer place; invest; **se** — take one's place
placide placid
plaindre pity; **se** — complain
plainte *f.* complaint
plaire (**à**) please; **plaît-il?** I beg your pardon; how's that? **se** — be happy
plaisanter joke
plaisanterie *f.* joke
plaisir *m.* pleasure, delight; **avoir** — be pleased; **faire — à** please
plante *f.* plant; — **grasse** *see* **gras**
plantureu–x, –se buxom
plat flat; contemptible; **pneu à** — flat tire
plateau *m.* tray; plateau
plein full
pleinement fully
pleurer weep, cry
plongé plunged, absorbed
plume *f.* feather; *m.* (*slang*) bed
plupart *f.* most, greater part
plus more; **le** — most; **de** — moreover, more; **une raison de** — one more reason; **de — en** — more and more; **en** — in addition; **ne . . .** — no more, no longer, not any more; **non** — either, neither
plusieurs several
plutôt rather
pneu *m.* tire
poche *f.* pocket
poêle *m.* stove
poème *m.* poem
poésie *f.* poetry
poète *m.* poet
poil *m.* hair
point *m.* point; **mettre au** — make quite clear
point (*with or without* **ne**) not (at all)
pointe *f.* touch, hint
pointu shrill
poire *f.* pear
poli polite
police *f.* police
poliment politely
politesse *f.* politeness
politique *f.* politics; **faire de la** — go into politics
poltron *m.* milksop
pomme de terre *f.* potato
pompe *f.* pump
pompier *m.* fireman; uninspired painter, conventional dauber

pont *m.* bridge
pontife *m.* pontiff; pundit, stuffed shirt
populaire vulgar
population *f.* population
porcelaine *f.* chinaware
portail *m.* door, gate
porte *f.* door
porte-bonheur *m.* good-luck charm
portée *f.* reach; **à — de** within reach of
portefeuille *m.* wallet
porte-flambeau *m.* torch-bearer
porte-manteau *m.* coat-rack
porte-parapluie *m.* umbrella holder
porter carry, bear, take, wear; **se — ailleurs** be directed elsewhere (*S. i*); **se — bien, mal** be well, ill
porte-veine *m.* good-luck charm
portrait *m.* portrait
posément calmly
poser place, put down; pose; — **une question** ask a question; **ceci posé** this being granted (*P. ii*)
positi–f, –ve positive
position *f.* position, posture
posséder possess
possible possible
postal postal, post
poste *m.* position
posture *f.* posture
pot *m.* pot, jar; **— à eau** water jug, pot
poudre *f.* powder
pour for, in order to, as for; — **que** in order that; — **intéressant qu'il soit** however interesting it may be
pourparlers *m. pl.* negotiations
pourquoi why
poursuivre continue
pourtant however
pousser push, move, impel, nudge; utter
poussière *f.* dust
pouvoir can, may, be able to; **il se peut** may be
pouvoir *m.* power; **au —** in power
précaire precarious
précaution *f.* precaution
précédent preceding
précepteur *m.* tutor
précieusement preciously, affectedly
précieu–x, –se precious
précipiter: se — rush
précisément precisely, as it happens
préférer prefer
préjugé *m.* prejudice
premi–er, –ère first
prendre take, seize, catch; assume; buy; — **un parti** make a decision; **qu'est-ce qui vous prend?** what's come over you? (*S. ii*); **se — de passion** develop a passion (*P. i*)
prénom *m.* first name
préoccupé mindful
préparer prepare; — **sa license-ès-lettres** study for one's university degree (in arts)
près near; **à peu —** almost; **de —** (from) close by; **— de** near, close to, nearly
présence *f.* presence
présent *m.* present time
présentation *f.* introduction
présenter introduce, present

président *m.* president; — **du Conseil** prime minister
presque almost
pressant urgent
pressé hurried, in a hurry
pressentir have a foreboding of
prêt ready
prétendre claim, pretend; **prétendu** alleged (*S. vi*)
prétention *f.* pretension, claim
prêter lend; ascribe, accuse of; — **la main à** take a hand in; — **l'oreille** listen; — **attention** pay attention
prétexte *m.* pretext
prêtre *m.* priest
prévenant considerate, thoughtful
prévenir forewarn, inform
prier pray, beg, request; **je vous en prie** oh do! please! please do!
prince *m.* prince; **bon** — openhanded
principe *m.* principle
prison *f.* prison
privé private
priver deprive
prix *m.* price, value
probable probable
probablement probably
problème *m.* problem
prochain next
prochainement soon
prodigue prodigal; **enfant** — prodigal son
produire: se — occur
professeur *m.* professor
profession *f.* profession
profit *m.* profit, benefit
profiter profit, take advantage
profond deep, profound
profondément deeply, profoundly
profondeur *f.* depth, profoundness
programme *m.* program, platform
proie *f.* prey; **en — à** prey to
projet *m.* plan
promener take, lead about; — **un regard circulaire sur** let one's eyes roam about; **se** — walk, go for a walk; **envoyer** — send about one's business
promettre promise
prompt prompt
promptitude *f.* speed, quickness
prononcer pronounce
propice auspicious
proportion *f.* proportion; **prendre des —s** take on a great importance (*A. viii*)
propos *m.* purpose; **à** — by the way; opportunely; **à — de** speaking of; **à ce** — in this connection; **à quel** — in what connection
proposer propose, offer
proposition *f.* proposition, proposal
propre neat, clean
proprement neatly
propriétaire *m. and f.* owner, proprietor
propriété *f.* property, estate
proprio (*slang*) = **propriétaire** *and* **propriété**
prospère prosperous
prosterner: se — prostrate oneself, grovel
protester protest
province *f.* province; **en** — in the country, provincial
provision *f.* provision
provocant alluring

provoquer provoke
prudemment prudently
prune *f.* plum
pseudonyme *m.* pseudonym
publi–c, –que public
public *m.* public
publicité *f.* publicity, advertising
publier publish
pudeur *f.* modesty, shame
puis then, next, afterwards; also, besides, moreover; **et — après?** and so what?
puiser draw out; **— dans sa mémoire** draw upon one's memory, try hard to remember (*P. i*)
puisque since, as
puissant powerful
puits *m.* well
pur pure

Q

qualité *f.* quality
quand when; **— même** *see* **même**
quant à as for
quantité *f.* quantity
quarante forty
quart *m.* quarter; **sourd aux trois —s** three quarters deaf
quartier *m.* quarter, district
quatorze fourteen
quatre four
quatre-vingts eighty
que *conj.* that, as, than; **ne . . . que** only; *adv.* how, how much; *pron.* whom, that, which, what
quel, –le what (a), which, who; **quel qu'il soit** whatever
quelconque any (whatever)
quelque some, any; *pl.* **—s** some, any, several, a few
quelquefois sometimes
quelqu'un, –e, quelques-uns (-unes) somebody, someone, some, a few
querelle *f.* quarrel
quereller quarrel with
quérir fetch
question *f.* question
questionner question, ask
quête *f.* collection
qui who, whom, that, which
quidam *m.* individual, person
quinte *f.* fit of coughing
quinze fifteen; **— jours** two weeks
quitte free, clear, rid; **une plaisanterie dont nous vous tenons —** a jest which we can dispense with (*S. vi*)
quitter leave; take off
quoi what, which; **—!** what! in short; **il y a de —** there are enough to; **il n'y a pas de —!** don't mention it! **— que ce fût** anything whatever
quoique although
quotidiennement daily

R

raccrocher hang up
racheter buy in *or* up
raconter relate, tell, tell about
radoucir calm, soften
rage *f.* madness
railler laugh at, jeer
raison *f.* reason, motive; **à —** rightly; **à plus forte —** with greater reason, even more; **avoir —** be right; **se faire une —** accept the inevitable; **— d'être** reason for existence

raisonnable reasonable, adequate
rajuster repair; — **le visage** retouch one's make-up
ramasser collect, gather up
rancune *f.* spite, malice; **garder — à** bear malice, harbour a grudge against
rang *m.* rank
rangée *f.* row
rangement *m.* tidying, arranging; **faire de menus —s** straighten things up a little
ranger set in order, arrange, put away
ranimer revive
rapide rapid, quick
rapidement rapidly
rappeler recall; **se —** remember
rapport *m.* relation
rapporter bring in
rapprocher bring closer; think over, run over (*S. i*); **se — de** come closer to
rare rare
rarement rarely
rasade *f.* brim-full glass
rassasié sated, cloyed
rasseoir: se — sit down again
rassurer reassure
rat *m.* rat
rattacher fasten on again
rattraper catch
rauque hoarse
ravaler swallow
ravir delight
raviser: se — change one's mind
rayon *m.* ray; shelf
rayonner beam
réagir react, struggle, resist
réaliser realize, sell out (*P. ii*)
réalité *f.* reality
récemment recently
récent recent
récepteur *m.* receiver
recette *f.* receipt, recipe
recevoir receive
réchauffer warm again; **se —** warm up, get warm
recherche *f.* research
réciter recite, rehearse
recoin *m.* nook
récolte *f.* harvest
recommander recommend, instruct
recommencer begin again
récompense *f.* award
recompter count again
reconduire show to the door, accompany home
reconnaître recognize
recouvrir cover
récriminer recriminate
reçu *m.* receipt
recueillement *m.* meditation, contemplation
recueillir collect, gather together
reculer draw back, step back
rédaction *f.* editorial staff
redevenir become again
rédiger edit, write out
redire say again; **trouver à —** find fault (*S. i*)
redresser straighten up again
réduire reduce
réellement really
refaire: se — alter one's nature, make oneself over
refermer close again
réfléchir reflect
réflexion *f.* reflection
refrain *m.* refrain
refus *m.* refusal

refuser refuse; **se — à** refuse, decline to
regard *m.* look, glance, gaze; **du —** with a look
regardant stingy, close-fisted; particular
regarder look, look at, consider; concern
régiment *m.* regiment
région *f.* region, district
régional local
règle *f.* rule; **en —** formal, in order, correct
régler regulate
regret *m.* regret; **avoir le — de** regret to
regretter regret
réguli–er, –ère steady, regular
régulièrement regularly, in due form
reine *f.* queen
rejoindre join
réjoui happy, cheerful, merry
réjouir rejoice; **se — (de)** rejoice (at)
relation *f.* connection
relevé turned up, high, lofty
relever: se — get up (again)
religion *f.* religion; **avoir de la —** be religious
relire read over, reread
remarquable remarkable
remarquer notice, remark, observe
rembourser pay back, repay
remercier thank
remettre put back; hand over; recall; **se —** place oneself again; get control of oneself again; **se — à** begin again
remonter mount again; go back stage; revive, buck up (*A. viii*)
remplacer take the place of
remuer stir up; **se —** bustle about, busy oneself
renchérir sur improve upon, outdo
rencontre *f.* meeting
rencontrer meet
rendez-vous *m.* appointment; **prendre —** make an appointment
rendre give back, return; make, render; **se —** make oneself; go; **se — compte de** realize
renoncer renounce, give up, forego
renouveler renew
renseigner: se — make inquiries, get information
rentier *m.* rentier (*person living on his investments*)
rentrer come in again, reënter; come home; put back; **— dans** reënter; **— à la maison, chez soi** come (go) home
répandre give off
reparaître reappear
réparation *f.* repair
repartir leave, go away again
repas *m.* meal
repêcher fish out
repeindre repaint
repenser think again, think over
repérer mark; **— les lieux** take the lay of the land (*L. i*)
répéter repeat
répétiteur *m.* **maître —** assistant master (*in a school*)
réplique *f.* reply, speech; **sans —** unanswerable
répondre answer
réponse *f.* answer
reporter carry, take back

reposant restful
reprendre take again, take back; resume, repeat; — **place** take one's place again; **se** — correct oneself
représenter represent, act, play; **se** — imagine
réprimer repress
reproche *m.* reproach
reprocher reproach
république *f.* republic
répugnance *f.* repugnance, dislike
requête *f.* request
rescousse *f.* rescue
réserve *f.* reserve
réserver reserve, hold back, save
résistance *f.* resistance; *pl.* **—s** opposition (*S. vi*)
résister (à) resist
résolument resolutely
résoudre resolve
respect *m.* respect
respectable respectable
respecter respect
respirer breathe
responsabilité *f.* responsibility
responsable responsible
ressaisir: se — pull oneself together
ressembler à be like, resemble
ressentir feel
resserrer tighten
ressort *m.* elasticity; **sans** — dully
ressources *f. pl.* means, resources
restaurant *m.* restaurant
reste *m.* rest, remainder
rester remain, stay; — **dans la main** break; **en** — **là** stop at that point
rétablissement *m.* recovery
retapisser redecorate, repaper
retarder be slow, late
retenir keep, detain, make stay, hold back, restrain; **se** — **de** keep from, refrain from
réticence *f.* reserve
retirer: se — withdraw
retourner return; reverse, turn over; **se** — turn around
retrait *m.* recess; **en** — recessed
retraité *m.* retired person (*living on income or pension*)
retrouver find again, rediscover; **se** — meet (again); **s'y** — get one's money back (*S. iii*)
réunion *f.* meeting
réunir: se — meet
revanche *f.* revenge; **en** — on the other hand
rêve *m.* dream
rêvé dreamed of, ideal
reveil *m.* alarm-clock
réveiller wake, awaken
revendre sell (again)
revenir come back, return; recover; **qui n'en revient pas** who can't get over it, who is lost in astonishment (*L. iii*)
rêver dream, day-dream
rêverie *f.* reverie, musing
reverser pay again
revivre live over again
revoir see again; **au** — good-bye
révolution *f.* revolution
revue *f.* review, magazine; **passer en** — review
rhumatisme *m.* rheumatism
riche rich
rideau *m.* curtain
ridicule ridiculous; *n. m.* ridicule, ridiculousness

rien *m.* nothing; **ne . . . —** not anything, nothing
rieu–r, –se laughing, fond of laughter
rigoler laugh
rigueur *f.* rigor; **à la —** at a pinch
rire laugh; **— aux éclats** laugh heartily; **vouloir —** jest; *n. m.* laughter, laughing
risquer risk
rivière *f.* river
robe *f.* dress, gown
rogue arrogant, offensive
rôle *m.* part
romanesque romantic
rond round; **les yeux —s** round-eyed, staring
ronflement *m.* snoring; humming, buzzing
rosace *f.* rosette
rouge red; *n. m.* rouge
rougir (de) blush (at)
rouleau *m.* roll
rouler roll, roll along; rove; **— sur l'or** be rolling in money; **se faire —** (*slang*) let oneself be taken in
route *f.* road, way
royalement regally
rubicond florid
ruche *f.* bee-hive
rudement roughly, harshly
rue *f.* street

S

sable *m.* sand
sac *m.* bag; **avoir l'air au —** (*slang*) look as if one had piles of money (*L. iii*)
sacré holy, sacred; cursed; **— nom de Dieu** damn it!
sacrifice *m.* sacrifice
sacristi Heavens!
sage good
sain healthy
saint, –e *m. and f.* saint
saisi startled
saisir seize, get hold of; lay the matter before (*A. i*)
sale dirty, filthy
salir dirty
salle *f.* room; **— à manger** dining-room; **— de bain** bathroom
salon *m.* drawing-room, (*literary*) salon
saluer greet, bow to
salut *m.* salvation; greeting
samedi *m.* Saturday
sang *m.* blood
sang-froid *m.* composure
sangloter sob
sans without, except for
saouler: se — get drunk
satisfaction *f.* satisfaction
satisfaire satisfy
sauce *f.* sauce
sauf except
saugrenu absurd, ridiculous
sauter jump; **faire —** toss
sauver save; **se —** run away
savoir know, know how to, find out, be able to; **faire — qch. à qn.** inform someone of something
scandale *m.* scandal
scandaleu–x, –se scandalous
scandaliser scandalize, shock
scander punctuate, emphasize
scène *f.* scene, stage; **entrer en —** appear
sceptique sceptical
scierie *f.* saw-mill

scintillant scintillating; **La —e** The Twinkling Star
se himself, herself, itself, oneself, themselves, each other, to himself, *etc.*
sec, sèche dry, gaunt
sèchement dryly
sécher dry, dry up
second second
secondaire secondary
seconde *f.* second
secouer shake
secours *m.* aid
secrétaire *m.* secretary
sécurité *f.* security
séduction *f.* charm
séduire captivate
Seigneur *m.* Lord
seize sixteen
séjour *m.* sojourn, stay
selon according to
semaine *f.* week; **en —** during the week
semblable like, similar
sembler seem
sens *m.* sense
sensation *f.* sensation, feeling; **—s d'art** artistic feelings, thrills
sensé sensible
sensible sensitive
sentiment *m.* feeling, sentiment
sentir feel; smell; **se —** feel
séparer separate; **se — de** part with
sept seven
sérieusement seriously
sérieu–x, –se serious, serious-minded; reliable; *n. m.* seriousness
serrer press; **— la main à** shake hands with; **se — les coudes** squeeze up and make room (*A. viii*)
service *f.* service, favor; (*administrative*) department (*A. viii*)
serviette *f.* towel
servir serve, be of use; **— de leçon** serve as a lesson; **se — de** use
seuil *m.* threshold
seul only, alone, single; **aller (être) tout —** be plain sailing (*L. iv; A. viii*)
seulement only
sévèrement severely
sévérité *f.* severity
shelling *m.* shilling
si if, whether; so; yes; **— . . . que** however
siège *m.* seat
sien, –ne his, hers, its; **faire encore des siennes** be up to his old tricks again (*A. i*)
signe *m.* sign; **faire —** signal, make a gesture
signer sign
signifier signify, mean
silence *m.* silence, hush, pause
silencieu–x, –se silent
simple simple
simplement simply, merely
simplifier simplify
sincérité *f.* sincerity
sitôt as soon; **— que** as soon as
situation *f.* situation, position, job
situer situate
six six
sixième: au — on the seventh floor (*in Paris usually the top floor under the eaves*)
société *f.* society
sœur *f.* sister

soi oneself, itself
soi-disant self-styled, supposedly
soigné trim, neat; first-class (*P. ii*)
soigner take care of
soigneu–x, –se careful, tidy
soir *m.* evening
soixante sixty
sol *m.* ground
soleil *m.* sun
solidaire interdependent
solide strong, robust; well-established
solliciteur *m.* petitioner
solution *f.* solution
sombre dark, dismal, dull, gloomy
somme *f.* sum; — **toute** when all is said and done; **en** — in short
son, sa, ses his, her, its, one's
songer dream; think
songeu–r, –se pensive, thoughtful
sonner ring
sonnerie *f.* ringing
sonnette *f.* bell; **un coup de** — a ring
sonore sonorous; **ondes** — *see* **onde**
sort *m.* fate
sorte *f.* sort, kind
sortie *f.* exit
sortir go out, come out; take out, pull out
sot *m.* fool
sou *m.* sou, cent (*5 centimes*)
souci *m.* care
soudain suddenly
souffle *m.* breath; **reprendre le** — get, catch one's breath
souffrance *f.* suffering
souffreteu–x, –se sickly
souffrir suffer, allow, stand
souhaitable desirable
souhaiter wish
soulager relieve, comfort, help
soulever raise, lift up
soulier *m.* shoe
soumettre submit
soupe *f.* sop, soup; — **au lait** milk-toast
souper have supper
soupeser weigh, feel the weight of
soupir *m.* sigh
soupirer sigh
sourcil *m.* eyebrow
sourd deaf
sourire smile
sournois sly, underhanded, sneaky
sous under
sous-secrétaire *m.* under-secretary
soutenir sustain, back up
souvenir: se — **de** remember; *n. m.* memory, recollection, souvenir
souvent often
souverain *m.* sovereign
spacieu–x, –se spacious
spécial special
spécialement especially
spectacle *m.* spectacle, sight, scene, show
spontané spontaneous
spontanément spontaneously
sport *m.* sport
stance *f.* stanza, poem
stationner stop, park (*a car, etc.*)
stock *m.* stock
strict strict
stupéfait stupefied, amazed
stylo *m.* fountain-pen
subir undergo
subtilité *f.* subtlety

successeur *m.* successor
succession *f.* inheritance
succomber succumb
sucre *m.* sugar
suffir suffice, be enough; *impers.* **s'il suffisait de s'aimer** if loving each other were enough (*A. viii*), **il suffirait d'une occasion** one opportunity would be enough (*A. viii*)
suffisamment sufficiently
suffisant sufficient
suite *f.* rest, continuation; **à la — de** following; **(tout) de —** immediately; **prendre la — de** succeed to
suivant *adj.* following; *prep.* according to
suivre follow
sujet *m.* subject; **au — de** about
supérieur superior; upper
superstitieu–x, –se superstitious
supplice *m.* torture; **être au —** be in torture
supplier beg, plead, beseech, implore
support *m.* stand
supporter endure, put up with
supposer suppose
sur on, upon, over, about, (*in giving dimensions*) by
sûr sure, certain, safe; **bien — (que)** of course, certainly; **pour — que** you bet (*S. iii*)
suraigu, –ë overshrill
surmonter overcome
surplus *m.* surplus; **au —** furthermore
surprendre surprise
surprise *f.* surprise
sursaut *m.* jump, start
surtout particularly, especially, above all; **— que** especially since
surveiller look after, keep an eye on; **se —** watch one's tongue (*A. viii*)
suspect suspicious, suspect
suspecter suspect
sympathie *f.* sympathy, fellow-feeling, congeniality; *pl.* good-feeling, fellow-feeling, congeniality (*P. i*)
sympathique likable, attractive, friendly; **vous nous êtes très —s** we like you a lot (*L. iv*)
syndicat *m.* syndicate

T

tabac *m.* tobacco
table *f.* table; **— bureau** table desk
tableau *m.* picture, painting; tableau
tâche *f.* task
tâcher try; **tâche que ça dure** try to make that last (*A. viii*)
taffeur *m.* (*slang*) sissy
taille *f.* size
tailleur *m.* tailor
taire: se — be quiet, hold one's tongue
tamponner dab
tandis que while
tant so, so much, so many; **— bien que mal** after a fashion, as well as possible; **— que** as many as, as long as
tantôt just now
tapis *m.* cover, cloth, rug
tapisserie *f.* tapestry

tapoter thrum
taquiner tease
tard late
tarder delay, be late, be long; *impers.* **il lui tarde de** he is longing to
tas *m.* pile, heap, lot
tâtons: **à —** gropingly
te you, to you
technicien *m.* expert
tel, -le such; **— que** such as
téléphone *m.* telephone
téléphoner telephone
tellement so, so much, so many
témoin *m.* witness
temps *m.* time; weather; **à —** in time; **avoir le —** have time; **avoir fait son —** have had one's day; **dans le —** in the old days; **de — à autre, de — en —** now and then, from time to time; **de son —** in his time; **il y a beau —** a long time ago; **prendre un —** hesitate, pause
tendance *f.* tendency
tendre *v.* proffer, hold out, tender; **— l'oreille** *see* **oreille**
tendre *adj.* affectionate
tenir hold, keep; manage (*S. i*); **— à** + *inf.* be anxious to, insist on; **— à** + *n.* prize, insist on; **— de** take after, resemble; **tiens !, tenez !** Why ! Look ! You see !; **se —** remain, stay, stand, hold oneself; **s'en — à** confine oneself to, be satisfied with
tension *f.* tension
tentation *f.* temptation
tenter try, attempt; tempt
tenture *f.* hangings, tapestries
tenue *f.* behaviour, bearing
terme *m.* term
terminer finish
terre *f.* earth
terrestre earthly
terrible terrible
terroriser terrorize
tête *f.* head; **être à la — de** be the head of, in possession of (*S. i*)
tête-à-tête *m.* tête-à-tête; **en —** all alone, just the two of us (*A. viii*)
textuellement textually
thé *m.* tea
théâtre *m.* theatre, stage
théorie *f.* theory
tien, tienne, tiens, tiennes your; **le —**, *etc.* yours; **les tiens** your family
timbre *m.* bell; stamp; **— poste** postage stamp
timidement timidly
tirage *m.* pulling, friction
tirer pull, pull out; **se — d'affaire** get along; **s'en —** manage, get along
tiroir *m.* drawer
titre *m.* title; **à — de** as a (*L. viii*)
toi you
toile *f.* cloth, linen, canvas; **— cirée** oilcloth
toilette *f.* toilet, dress, costume
tôle *f.* (*slang*) house
tombe *f.* tomb, grave
tomber fall; **— mal** come to the wrong place (*L. vii*); **le jour tombe** night falls; *n. m.* **le — du jour** nightfall
ton, ta, tes your
ton *m.* tone; **reprendre du —** raise one's voice (*L. viii*)

toper agree, consent; **topez-là** done! agreed!
tort *m.* wrong, harm; **à —** wrongly; **avoir —** be wrong; **faire — à** injure, harm
torture *f.* torture
tôt early, soon; **— ou tard** sooner or later
touchant touching, moving
toucher touch, move; receive (*money*)
toujours always, still, in any case, anyhow; **amis de —** very old friends
tour *m.* turn, trip; **— à —** in turn; **— de ville** outer boulevards, streets (*encircling the town*); **à son —** turn; **en un — de main** in an instant; **faire le — de** go, walk (all) around
tourmenter: se — worry
tourner turn; **mal —** go to the bad; **se —** turn around
tousser cough
toussotter clear the throat, hem
tout, toute, tous, toutes any, every, all, whole, everything; **tous les deux** both; **(pas) du —** not at all; **du — au —** completely; **tout** *adv.* wholly, quite, very; **— à coup** suddenly; **— à fait** entirely; **— à l'heure** just now, presently; **— de même** all the same, for all that; **— de suite** immediately; **— en** while; **pour — de bon** seriously, in earnest
toutefois yet, nevertheless, however
trace *f.* trace
tracer draw, sketch
traduire translate, interpret
train *m.* train; **être en — de** be in the act of; **mettre en — pour** start, get going, put in a mood to
trait *m.* feature
traiter handle, deal
tranchant decisive, trenchant
tranquille quiet, untroubled, easy; **soyez —!** never fear! rest assured!
tranquillement quietly
transmettre convey
transport *m.* rapture
transporter transport
travail *m.* work
travailler work
travailleu–r, –se hard working
travers: à — through; **au — de** through
traverse *f.*: **chemin de —** cross road, short cut
traverser cross, traverse
treize thirteen
trembler tremble
tremper soak, dip
trente thirty
très very
tribunal *m.* tribunal, bar
tribune *f.* rostrum
tricher cheat, trick
trier pick over
trimestre *m.* quarter, three months
trinquer clink glasses; take, have, a drink
trique *f.* cudgel
triste sad
tristesse *f.* sadness
trois three
troisième third

tromper deceive; **se** — be mistaken
trop too, too much, too many
trotter run around
trou *m.* hole
trouble *m.* confusion, agitation; **jeter le — dans** disturb, perturb
troubler agitate, disturb, confuse
troupe *f.* troupe, company
trousseau *m.* bunch (*of keys*)
trouver find; think; **se** — be; *impers.* **il se trouve** it happens
truc *m.* trick; gadget
tu you
tube *m.* tube
tuilerie *f.* tile works, tilery
tumulte *m.* hubbub, commotion
turbulent boisterous
type *m.* type, (*standard*) model; bloke

U

un, une a, an, one
uni even, constant
union *f.* union
unique sole
uniquement solely, simply
univers *m.* universe
universel, –le universal
université *f.* university, educational system of France, teaching profession
urgence *f.* urgency; **d'—** immediately
urgent urgent
usage *m.* use, practice, custom; **être d'—** be customary
user use up, wear out; — **de** use
usine *f.* factory, mill
utile useful
utilité *f.* usefulness

V

vacance *f.* vacancy; *pl.* vacation; **en** — on vacation
vacarme *m.* uproar, din
vague vague
vaguement vaguely
vain vain; **en** — in vain
vaincre conquer
vainement vainly
valeur *f.* value; security, stock, bond
valise *f.* valise, suitcase
valoir be worth, be of value; — **mieux** be better; — **la peine** be worth while; **faire** — emphasize; **se faire** — show oneself to advantage
vannier *m.* basket-maker
vanter: se — boast
vaseu–x, –se (*slang*) incomprehensible
vaurien *m.* good-for-nothing, wastrel, bad lot
véhément vehement
veiller watch; — **sur** look after, watch over
veine *f.* luck; **avoir de la** — be lucky
vélocipède *m.* cycle, bicycle
vendre sell
vendredi *m.* Friday
venger: se — revenge oneself
venir come; — **de: il vient de dire** he has just said; **il venait de dire** he had just said; **en — à** come to, come to the point of
Venise Venice
vent *m.* wind
vente sale; **mettre en** — put up for sale

ventre *m.* stomach, belly
venu *m.* comer; **le premier** — the first person who comes along, the first comer
verger *m.* orchard
véritable true, real, genuine
vérité *f.* truth
verre *m.* glass
vers *m.* verse; **faire des** — write poetry
vers *prep.* towards
verser pour; pay down (*money*)
vert green
vertige *m.* dizziness
veston *m.* coat
vétérinaire *m.* veterinary
vêtir dress
veu–f, –ve *m. and f.* widower, widow
vexer vex, anger
viande *f.* meat
vicaire *m.* assistant priest (*not vicar*)
vicomte *m.* viscount
victime *f.* victim
victorieusement victoriously
vide empty, bare; *n. m.* empty space
vider empty
vie *f.* life, living; **chienne de** — dog's life; **faire sa** — **avec** marry (*A. viii*); **jamais de la** — never in my life, not on your life!
vieillard *m.* old man
vieillir grow old
vieux, vieil, vieille old; **mon** — old chap, old man
vi–f, –ve lively
villa *f.* residence, cottage, country *or* summer home
ville *f.* city, town
vingt twenty
violemment violently
violent violent
visage *m.* face, countenance
vis-à-vis opposite; **l'un** — **de l'autre** among ourselves, with each other
viser eye, pipe
visible visible, obvious
visiblement visibly, obviously
vision *f.* vision, visual impression; crazy notion; **t'as des —s** you're seeing things, you're crazy (*L. i*)
visite *f.* visit, inspection
visiter visit, inspect; **faire** — show around
visiteur *m.* visitor
vite quickly
vitré glazed
vitrine *f.* shop window
vivacité *f.* vivacity
vivant alive, living, full of life
vivement briskly, sharply
vivre live
vocation *f.* vocation, calling
vœu *m.* vow, wish
voici here is, here are
voie *f.* way; **se livrer à des —s de fait** take the law into one's own hands, commit an assault
voilà there is, there are; well! there! there you are! — **que** look, behold, now, then, suddenly
voile *f.* sail
voir see; **voyons!** look here! come now!
voisin adjoining, neighboring; —, **—e** *n. m. and f.* neighbor

voiture *f.* carriage, automobile, (*train*) car; **en —!** all aboard!
voix *f.* voice; **à haute —** out loud; **à mi-voix** in an undertone
voleur *m.* robber
volontiers willingly
volubile voluble
volume *m.* volume
voter vote
votre your; **le vôtre, la —, les —s** yours
vouloir wish, want, will, insist, require; **— bien** be willing, consent, be kind enough to; **— dire** mean; **en — à qn. de qch.** be angry with someone for something, bear a grudge against someone for something; **que voulez-vous?** what do you want? what do you expect?; **qu'est-ce qu'il me veut?** what does he want with me (*A. vi*)
vous you, to you
voyage *m.* trip, voyage; **faire un —** take a trip
voyager travel
vrai true, real
vraiment truly, really
vraisemblablement probably, very likely
vue *f.* view, sight; **connaître de —** know by sight; **en —** in view, in sight; in the public eye, prominent; **en — de** with a view to

Y

y here, there, to it, to this, *etc.*